JN105842

Input 読む・聞く、→ まとめる、→ Output 言葉にする

松尾美里

フォレスト出版

●はじめに　「まとめて言語化する力」は武器になる

「文章でも話し言葉でも、より巧みに言語化できるようになりたい」
「もっと自分の言葉で、わかりやすく伝えられるようになりたい」
「本や映画で感じたことを、上手に伝えられるようになりたい」
「コミュニケーション力や伝える力を伸ばしたい」

そんなふうに思ったことはないでしょうか。

本書では、**言語化力はもちろん、本を読む力、話を聞く力、情報を整理し言葉にするためのスキル**についてお伝えしていきたいと思います。

はじめまして、私は株式会社フライヤーが運営する本の要約サービス「flier（フライヤー）」の編集部にて、本の要約をつくっている松尾美里と申します。

flierとは、ビジネス書1冊の大筋を10分で理解できるサービスです。１つの要約の分量は4000字ほど。

最大の特長は「書評（レビュー）」ではなく「要約」である点です。書き手の主観が入る書評とは異なり、本の全体像をベースに、著者の主張や重要ポイントを忠実にまとめ、読者に伝えることを目指します。

約1年の副業期間を合わせると、2024年1月時点で10年間、ビジネス書やリベラルアーツの新刊やロングセラーなど、ビジネスパーソンにとって学びにあふれた本にふれ、要約のライティングや編集をする機会をいただきました。

また、日本インタビュアー協会認定インタビュアーとして、フライヤーやほかのメディアでも、著者・経営者・編集者の方々に取材をし、その内容を記事にしてきました。経済学者の野口悠紀雄さん、ライフネット生命保険創業者の出口治明さん、東京大学経済学部教授の柳川範之さん、元陸上選手の為末大さん、福岡市長の高島宗一郎さん、経済ジャーナリストの勝間和代さんなど、約570名にのぼります。


さて、言語化というと、どんなイメージを持っていますか？

オリジナリティのある言葉で物事をわかりやすく伝えられる、そんなイメージを持つかもしれません。

私もこれまで、インタビューや要約の仕事をするなかで、「どういった発想や思考をしていたら、こんなに素晴らしい言葉を生み出せるのだろう」と思うような方々に会ってきました。

「このような表現は、きっと言語化の才能があるから生み出せるのだろう」と衝撃を受けた一方、色々な方に取材するなかで実はそうではないと気がつきました。

それは、**言語化が上手な人ほど、質の良いインプットとアウトプットを習慣にしているということです。**

わかりやすく言うと、言語化が上手な人は、たくさんの人とコミュニケーションをとり、たくさんの本を読むなど、ほかの人がしていないような独自の体験をしています。いわば、聞いて、体験したものを、頭の中で熟成させながら整理し、言葉にする（話す、書く）という機会を多く持っているのです。

逆説的に言えば、読む・聞くといった質の良いインプット、情報の整理、それらをアウトプットするという習慣があれば、言語化力は誰でも高めることができるのです。

だからこそ本書では、「読む」「聞く」というインプットから、メモる・まとめる整理法、そしてアウトプットとしての言語化する方法までをスキルとしてお伝えします。

読む・聞く、まとめる、言葉にする。

これらの4つのスキルこそ、言語化力はもちろん、あらゆる仕事に必要な要素であり、方法であり、習慣だと考えています。

この一連のスキルを学ぶことで、言語化する力、言葉にする力だけでなく、「本を読む力」「話を聞く力（対話力）」「情報を整理し、構成する力」が身につきます。そして、どんな仕事も、この4つのスキルをセットで磨くことでうまく進んでいくのです。

これは私が、書籍の要約や取材・インタビュアーの仕事を通じて身につけ、常に意識しているスキルでもあります。

本書が、あなたの仕事や人生を豊かにすることにつながる一助となれば、著者としてこれほど嬉しいことはありません。ぜひ最後まで読んでみてください。

松尾美里

目次

第1章 良い言語化の秘密

良い言語化は、「読む・聞く」から始まる

第2章

インプットの習慣

「話を聞く」と「情報を読む」スキル

第3章 メモする習慣

インプットとアウトプットをつなげるスキル

第4章 まとめる習慣

「思考」と「情報」を整理するスキル

第5章 言語化する習慣
まとめて言葉にするスキル

第1章

良い言語化の秘密

良い言語化は、
「読む・聞く」から始まる

聞くのも、読むのも同じこと

みなさんは、「人の話や本の内容を言語化する機会」がどれくらいありますか。

たとえば、

- **会議で出た議題ごとのポイントと次のアクションを議事録に書く**
- **休日に観た映画の感想やおすすめポイントをSNSやnoteで発信する**
- **1on1でチームメンバーの相談を受けて、その課題をまとめる**

など、SNSやブログ、noteなどが当たり前にある現代では、仕事でもプライベートでも、インプットしたことをまとめて言語化する機会は多いはずです。そのため、そもそもインプットする機会は爆発的に増えています。

また、「インプット」と一口に言っても、さまざまな形があります。

- **本やWEBサイトなどの文字情報を「読む」**
- **上司や同僚から業務を口頭で「聞いて」教わる**
- **商談で顧客に刺さる提案をするために、悩みを「ヒアリング」する**
- **旅行先で、見知らぬ景色を「観る」**

これらはすべてインプットです。ビジネスシーンでもプライベートでも、想像以上にインプットの機会が多いですよね。

しかも、インプットをして終わりでなく、その内容のポイントを整理して、文書にするなど、あとでアウトプットの機会が待っていることが多いように思います。

なかでも「読む」と「聞く」は、その中身をどう解釈し、アウトプットに結びつけるかが求められやすいインプット方法といえるかもしれません。

本書では、この問いに向き合い、「読む・聞く、まとめる、言葉にする」という一連のスキルをどう磨いていくかを紹介していきます。

本の要約とインタビューで学んだこと

私は株式会社フライヤーが運営する本の要約サービス「flier(フライヤー)」の編集部にて、本の要約をつくっています。

なぜ、私が本の要約という仕事を選んだのか。それは、ビジネス書を中心に本が大好きだからです。本は多様で普遍的な知にアクセスできるもの。その本質や面白さをまとめる仕事なら、好奇心が満たされるし、本を読みたい人が増えることに微力ながら寄与できるのではないか、と思ったからでした。

また、インタビューを続けているのは、挑戦している人たちの想いや生き様を伝えることで、「私も挑戦しよう」と読者の背中を押せたらという願いがあるからです。

要約では「読む」、インタビューでは「聞く(聴く)」というインプットを通じて本や話のポイントや本質を探り、まとめて、言葉にする、という一連のプロセスを経てきました。どうしたらもっと本質を掴めるのか？　どうしたらその本や人の魅力や本質が読み手に的確に伝わるのか？　こんな問いのもとに修行中です。

この試行錯誤のなかで身につけてきたスキルやトレーニング方法は、要約やインタビューだけでなく、日常や仕事でも幅広く応用できるものだと思います。

究極的には、どんな仕事も、「読む・聞く、まとめる、言葉にする」というプロセスを磨くことでうまく進んでいくのではないか。そのためのエッセンスを伝えて、読者のみなさんの役に立てたら嬉しい。そんな想いで、本書を書くに至りました。

「読む・聞く、まとめる、言葉にする」という思考法

要約やインタビューの仕事を始めた当初の私は、「どう書いたらいいのだろう？」「どうまとめたらいいのだろう？」と途方に暮れたことが何度もありました。

たとえば、インタビューだと、「相手のお話をしっかり聞く」ことに集中はできても、記事をどんなふうに展開していくかを事前に考えていなかったために、いざ書き始め

ると、「どの要素を盛り込めばいいのか」の取捨選択に迷ってしまっていたのです。挙句には、聞いたことを、聞いた順番に書く……となり、記事の仕上がりに落ち込んでいました。

そんなあるとき、数々の著名人にインタビューをしてきたインタビュアーの大先輩の女性に取材をすることになりました。

その際、彼女は、私の問いに対して「その視点、とても面白いね」などと優しい言葉をかけながら、オープンに考えや経験を語ってくださったのです。

そこで気づいたことは、「どう書くか」「どうまとめるか」ではなく、「読む」「聞く」「まとめる」「言語化する」というものをワンセットで考えると良いということ。

その方は、聞き上手なだけでなく、アウトプットを考えて聞いているからこそ、相手がエンパワーされるような働きかけを自然体でできていました。

それぞれのプロセスは一連の流れであって、前後のプロセスを意識して実践することで真価を発揮するのだと気づいたのです。

現代のあらゆる仕事は、「読む・聞く、まとめる、言葉にする」でできている

「読む・聞く、まとめる、言葉にする」の5つのメリット

「読む・聞く（インプット）」「まとめる（整理する）」「言葉にする（アウトプット）」というステップは、一連の流れであるとお伝えしました。

それぞれのつながりを意識するからこそ、アウトプットの質が上がり、成果が出やすくなります。

これらの一連のプロセスは、実は、要約やインタビューだけでなく、あらゆる仕事をうまく進めるうえで重要なものだと考えています。

メンバーとの1on1を例にとりましょう。

メンバーが話をしやすい空気をつくろうと、相槌やうなずき、ペーシング（話す速度を合わせる）といった非言語的な工夫を心がけている方はいらっしゃると思います。

もちろんそれらも効果的ですが、もう1つ有効なのが、**相手の言葉や想いをまとめて言語化する**ことです。

「あなたの大事にしているのは、こういうことですか？」

「あなたの伝えたいことは◯◯だと受け取ったけれど、どうかな？」

などと、的確にまとめて、言語化する。これにより、相手は「私の言いたかったことが伝わった」という感覚を得て、さらに心を開いてくれるようになります。

つまり、1on1というもの1つとっても、「聞く」スキル単体で完結するのではなく、「聞く」「聞いたことを整理する」「その内容をコメント（アウトプット）する」というプロセスでできています。

究極的にいうと、現代のあらゆる仕事は、この「読む・聞く、まとめる、言葉にする」でできていると考えています。さらには、これらのスキルは独立しているものではなく、4つで1つのスキルとして身につけることで、より効果的に力を発揮できるものです。

では、「読む・聞く、まとめる、言葉にする」の流れを意識して実践していくと、どうなるのか。具体的には次の5つの効果が得られます。

①「聞く力」「読む力」が身につく
②対話がうまくなり信頼関係が築きやすくなる
③思考の整理力が身につく
④本質を掴む力（要約力）が身につく
⑤言語化力が高まる

それぞれのメリットについて詳しく見ていきましょう。

メリット1

「聞く力」「読む力」が身につく

まず、この一連のスキルを実践していくと、「聞く力」「読む力」が身についていきます。これが1つ目のメリットです。

相手の話を聞く、本を読むといったインプットの際には、必ず何かしらのゴールがあります。SNSに本の学びを投稿する、顧客にヒアリングした内容をもとに商品の企画書をつくる、といった形です。この4つのスキルのつながりを念頭に置くと、インプットの際にアウトプットの目的やゴールを考えることになります。

たとえば、「顧客にヒアリングした内容をもとに商品の企画書をつくる」のが、アウトプットのゴールだとしましょう。

このゴールを思い描いておけば、「目の前のお客様から何を重点的に聞くと良いのか」「企画に活かせそうな問いは何だろうか」などと、「聞く」の方向性や優先順位が頭に浮かびやすくなります。すると、「顧客の話を丁寧に聞こう！」と漠然と思っているときに比べて、「聞く」の解像度が上がります。

また、「読む力」も同様で、アウトプットを意識して本を読んだり、インターネットで情報を得たりすると、情報の定着率や頭への残り方が変わります。本を読んで感想を書いたり、行動したりするポイントを早く上手に掴めるようになるので、読書スピードが上がっていくはずです。

こうした経験を重ねることで、「聞く力」「読む力」が磨かれていきます。

コミュニケーションにおいては、「傾聴力」「聞く姿勢」を磨くことが大事といわれます。ただ、単体で身につけて終わりではなく、「何を生み出すために聞くのか」と目的を明確にし、「読む・聞く、まとめる、言葉にする」という一連のつながりを考えてはじめて、それぞれのスキルが真価を発揮します。

メリット2

対話がうまくなり信頼関係が築きやすくなる

先にも述べた通り、本書でお伝えするスキルは、「聞く技術」も含まれます。

そこで、2つ目のメリットとして、対話がうまくなることが挙げられます。

私がこれまでインタビューで培ってきた人の話を聞くスキルは、1on1、相談に乗る、雑談をするといったシーンにおいても使えるものです。

うなずく、相手の目を見る、相槌をうつ……といった1つひとつは小さなことでも、大きな違いを生みます。

相手は「聞いてもらった」と感じ、より心を開いてくれるようになります。

加えて、「相手の発言の要約」を添えることで、相手は「伝えたいことが伝わった！」という実感を強めていくことができます。

相手の言葉や行動に好奇心を持って聞くことで、仕事やプライベートで接する人たちとの信頼関係も築きやすくなります。

ベストセラー『人は話し方が9割』（すばる舎）をはじめとした、あらゆるコミュニケーション本で、**相手の話を聞くことが良い人間関係を築き、心を開いてもらう重要なスキル**として紹介されています。

もちろん、「ただ相手の話を聞いていればいい」というものではありません。

相手の話を傾聴するだけでなく、「あなたの言いたいことは伝わっていますよ」というコメントをすることで、相手は「わかってくれている」と感じ、本音を開示しやすくなります。

4つのスキルをつなげていくことで、自分と相手の間に橋が架かり、信頼関係が築きやすくなるのです。

メリット3

思考の整理力が身につく

仕事でも、プライベートでも感じることの1つに、「情報量が増えている」ということがあります。

インターネット、スマホ、SNSなどが当たり前になり、通信環境が整ったことで、文字情報や音声、動画などにふれる機会が大きく増えました。そして、それらに当たり前のようにアクセスできるようになったことで、私たちがインプットする情報量は爆発的に増えています。

一日のなかで面白く、刺激的で、役に立つ情報に次々にふれられるようになった反面、それらの情報に振り回されることも少なくないかと思います。

また、仕事においても、ふれる情報が増えています。メールや電話、対面はもちろん、チャットツールや社内イントラネットなど、仕事内容の複雑化にともない、さまざまな便利なツールがどんどん導入されています。

そういったなかで大事なのが、**情報の交通整理をする**こと。

そして、**思考をシンプルにする**ことです。

複雑な情報や状況を整理し、取捨選択することで、考えをシンプルにしていく必要があります。思考をいかにシンプルにできるかで、仕事の効率やクオリティは変わってきますよね。

たとえば、任された仕事とともに自分のルーティンタスクをこなしながら、家事や育児を行い、将来の投資につながる勉強や、仕事の専門分野を深める時間をつくることが求められています。

こういった場面で、「読む・聞く、まとめる、言葉にする」という一連のプロセスを踏むと、状況や思考を整理して、頭も心もスッキリさせることができます。

これが3つ目のメリットです。

また、このプロセスは頭の中に抱え込んだ迷いや悩みを整理するのにも役立ちます。

メリット4

本質を掴む力（要約力）が身につく

4つ目のメリットは、「本質を掴む力」、すなわち要約力が身につくことです。

本書でいう「本質」とは、人の話でも本でも、話し手や書き手が「これだけは伝えたい！」と思っていることをできるだけ端的に絞り込んだものを意味します。

この本質を抽出し、わかりやすく言葉にする力を「要約力」と呼んでいます。

なぜ、本書のメソッドを使うと本質を掴みやすくなるのか。

それは**アウトプットを前提に、インプット・まとめを行う**からです。

多くの場合、本を読んだり人の話を聞いたりしてその「本質を掴む」のが難しいのは、インプットだけで完結していて、「何のために掴めばいいのか」が漠然としているからです。

しかし、「読む・聞く、まとめる、言葉にする」というプロセスを踏むと、インプット段階から、どのようにアウトプットするかを考えることになります。

「〇字にまとめる」「〇〇の対象の人に伝える」といった条件が前提にあると、アウトプットの目的やイメージが頭に浮かぶので、インプットする内容の本質を掴みやすくなります。

たとえば、大学入学共通テストなど、国語や現代文のテストにおいて、「筆者が伝えたいことを〇〇文字以内で答えよ」といった設問を解いたことがある人もいるのではないでしょうか。

こういったアウトプットの課題が出された場合は、何も課題がない場合と比べて、本質を抽出しやすかったかと思います。

一方で、ある本を読んで、その本質を抽出するという作業は日常的には行っていないはずですし、難しく感じるかと思います。

それは本質を抽出してアウトプットする必要に迫られていないからです。

つまり、「著者の主張や本書のポイントを３００字にする」というようなアウトプットを意識しながら、インプット・まとめをすることで、本質の抽出をする思考に自然と切り替わるのです。「著者の主張は何か?」「一番伝えたいことは何か?」といった問いを持って読むので、その答えになりそうなところが目につきやすくなります。

要約が上手な人というのは、最初から要約やまとめをアウトプットする習慣があり、その経験を多く積んできた人といえるでしょう。

メリット5
言語化力が高まる

5つ目のメリットは「言語化する力が磨かれる」ことです。

「言語化する力」は、ビジネスの世界でも注目されているキーワードの1つ。自分の頭の中にあるものを言葉にして、わかりやすく伝える能力であり、スキルです。

「書く」「話す」といった言葉にする機会は増える一方です。もちろん、YouTubeやTikTokのような動画が流行しているように、今後アウトプットの形態はますます多様になっていくでしょう。

ただ、ビジネスシーンやプライベートで圧倒的に多いのは「書く」アウトプットだと思います。たとえば、報告書、企画書、提案書、議事録、マニュアル、論文、日報、メール、アイデアメモ、日記、SNS投稿、ブログ、LINEのメッセージなど、「書く」機会は実にさまざま。

さらには、SNSが浸透するにつれ、初対面が「リアル」から「テキスト」へ移行しています。テキストのコミュニケーションで信頼関係を築き、「今後も交流したい」と思ってもらうことが、ますます重要になるといえるでしょう。

たとえば、商談の内容を営業日報に書くシーンを想像してみましょう。顧客の真の課題は何なのか。顧客の隠れた期待は何なのか。次は誰に、どんな提案をするとよいか。こうしたことを掘り下げて、その本質を的確に文字にできれば、提案の質も上がっていきます。

また、「文章にする」という言語化だけでなく、「話す」という言語化の質も変わってきます。対話のなかで「一言でコメントする」「相手の言いたいことを要約して、それを言葉にする」ことも上手になります。それらは、すべてインプットからまとめるまでを一連の流れとして行うからこそできることです。

インプットをもとに、そのポイントを要約し、言葉にする。この練習を積んでいくと、言語化力が磨かれていきます。

**▶現代のあらゆる仕事は、
「読む・聞く、まとめる、言葉にする」
でできている**

#「言語化する力＝文章力」ではない

「文章力が必要」という思い込みを捨てる

「言語化する」というと、上手な文章を書かないといけないと思うかもしれません。

実は、私も要約の仕事を始めた当初、まさにそう思っていました。

flierの要約で扱う本は、話題の本だったりロングセラーだったりするため、著者と編集者の方々による渾身の文章にふれることになります。

そのたびに、「なんて心に響くんだろう」「こんなにわかりやすくて美しい表現、どうしたら考えられるんだろう」と、自分の書いた記事とのギャップに落ち込むこともありました。

しかし、仕事をするなかで、「言語化する力＝文章力」ではないと気がつきました。たしかに、心の琴線にふれる文章に出合ったとき、それをメモ帳などにストックし、表現や伝え方の引き出しを増やすことは大切です（私もそれを習慣化しています）。また、文章を書いたあとに、伝わりやすいか、間違いがないかと推敲することも、「伝わるアウトプット」を生み出すために大事になってきますね。

ですが、本の要約というアウトプットをする際に、流れるような名文や美しい文章を書く文章力は必須ではないと気づいたのです。

なぜなら、言語化というアウトプットには目的がそれぞれあるからです。読者を引き込み感動させる小説やエッセイ、というアウトプットであれば、文章力というものが必要かもしれません。

しかし、多くの場合、言語化のゴールはわかりやすさや納得感を感じてもらうことや、相手に「行動してみよう」と思ってもらうことです。たとえば、flier の要約が目指すのは、「多忙なビジネスパーソンを中心としたユーザーの方々」が「短期間で本の概要やポイント、面白い点を正しく掴めること」「この本が面白いから、買って読もうと思ってもらえること」です。

この目的を達成するには、美しい文章が書けることよりも、本のポイントや魅力を的確に表現できることのほうが重要。そう気づいたのです。

このように、言語化の目的に立ち返ることで、どう伝えるか、どうまとめるかが決まります。文章力はあってもなくても大丈夫。自分の言葉を自分らしく表現していきましょう。

良い言語化は「インプットの質」で決まる

文章力がなくてもいいといえるのか、もう少し解説していきましょう。

「まとめて言葉にする」際に大事なのは、自分の言葉を装飾したり、美しい表現を目指したりすることではありません。

言語化力とはある意味で、「解釈の力」です。

自分が人から話を聞いたとき。

自分が美しい映画を観たとき。

自分が最高の旅行体験をしたとき。


そのとき自分がどのような視点で物事を捉え、その本質を抜き出したか、つまり自分の「解釈」によって、どの部分をどう言語化するかが変わってきます。

インプットを「まとめる＝解釈・整理する」とき、まとめる質が言語化の質を決めているといってもよいでしょう。

そのため、この解釈して整理する「言語化力」は、どんなアウトプットを生み出す場合にも求められるといえます。


一方で面白いのは、**解釈や整理が優れているだけでは、良い言語化はできない**ということです。

読む・聞く・観る・体験する……といったインプットの質自体が良いものでないと、

どれだけ「まとめる」段階の解釈で工夫しようとも、良い言語化にはなりにくいのです。

取材を一切行わずに空想で書いた原稿で、どれだけ手を替え品を替え、表現を磨いても、面白くないアウトプットになってしまいますよね。

それは、自分の頭で考えたものにすぎないからです。内容がないものは、どれだけ手を加えても、ありきたりな言葉になってしまい、人の心に響くものにはなりません。

このように、良い言語化のためには、「まとめる」のフェーズで複雑に面白くしようとすることではなく、本質を正しく抽出しつつ、アウトプットを届けたい人が理解しやすいような切り口や解釈を添えることが大事になります。

「まとめる・言語化する」の前にやるべきこと

「伝える相手」と「伝える目的（ゴール）」を考える

「まとめて言語化する」スキルを学ぶ前に、実は大事な隠れたステップがあります。

それは、まとめて伝える際、「伝える相手」と「伝える目的（ゴール）」を決めることです。

もっとシンプルにいえば、「伝える相手は誰か？」「相手にどうなってほしいのか？」。

これをイメージすることです。

なぜなら、「誰に何をどのように伝えるか」によって、アウトプットの方向性、まとめる基準、インプットの質が変わってくるからです。

たとえば、「人材育成」に関して発見に満ちた本に出合い、その内容をＳＮＳで紹介したくなったとします。

その際、伝える目的は何で、伝えたい相手は誰でしょうか。

おそらく人によって状況がまったく違いますよね。たとえば、

・ＳＮＳを見ている友人や知人に、面白いと思ってもらいたい
・「メンバーの人材育成の仕方」に悩んでいる同僚Ａさんに、役立つ情報を提供したい

このように伝える目的や相手によって、紹介するポイントも、その優先度も、書き方も変わってきますよね。

目的意識が明確になってはじめて、どのインプットをアウトプットの素材として使うのか、どの部分をどうまとめるかが決まっていきます。

できればアウトプットする紙やドキュメントの一番上など、目に入りやすいところに、「伝える相手・目的」を箇条書きで書いておきましょう。

要約している間に、「この内容をアウトプットに盛り込むかどうか」「どの順番がいいか」と迷うことは多々あります。

そんなとき、「伝える相手・目的」が判断軸になってくれます。

別の例として、「会議の目的」について考えてみましょう。

・参加した人が、ある議題の重要性と、周りの人の意見を理解できる
・特定の議案について、会社としての方向性を決め、合意形成をする

このように、目的が何かによって、ファシリテーターが事前に準備することや、当日話すこと、議事録に残すことの中身も優先度も変わってきます。

私のおすすめは、友人や知人のなかから、自分のアウトプットの読者になりそうな人を決めて、その人に届けるつもりで書いていくことです。

これは、ラブレターを書くときに似ています。

言語化するなかで、「相手に刺さりやすい素材は？」「どんな言葉だと伝わりやすい？」と迷ったときにブレがなくなり、アウトプット全体の一貫性を保ちやすくなります。

「良い言語化」を目指すのであれば、「誰に伝えるのか」「どの媒体（メディア）を使うのか」「どういう結果がほしいのか」を明確にすることが大事になります。

最初は、ざっくりしたイメージでもかまいません。自分の発信する媒体は何なのか。また、「わかりやすい」と思ってほしいのか、感動してほしいのか、実践してみてほしいのか……など、言語化の目的はさまざまだと思います。

まずはこれらを意識してみることで、アウトプットする言葉の精度が高まっていきますよ。

「読む・聞く、まとめる、言葉にする」は、インプット、メモ、アウトプットから成り立つ実効性の高いスキルです。ビジネスはもちろん、プライベートでも使える「ヒューマンスキル」だと考えています。

次章から、このスキルを身につける方法と使いこなすコツをお伝えしていきます。

第2章

インプットの習慣

「話を聞く」と
「情報を読む」スキル

「インプットの質」がアウトプットの質を決める

ここからは、「インプットする（読む・聞く）、まとめる、アウトプットする（言葉にする）」までの3ステップのうち、最初の「読む・聞く」、つまりインプットについて、詳しくお話ししていきます。インプットとは、

・本や資料を読む
・会話、雑談をする
・1on1を行う
・講演を聞く、動画を観る

といったものから、

・映画を観る
・音楽を聞く
・旅行に行く

といった自分が見聞きしたすべての体験までを含みます。特段強い目的意識を持たずに体験したり、見聞きしたりしているものばかりではないでしょうか。

私自身も「読む・聞く、まとめる、言葉にする」というステップを意識する以前は、ほとんど無意識に消化していたように思います。

それを意識化し、良いインプットにしていくことが大事です。

あらゆる「アウトプット」は、「インプット」が組み合わさって生まれます。

良質なアウトプットを生み出すためには、良質なインプットが不可欠。

たとえば、私の本業であるインタビューでも、お相手から「面白い素材（＝お聞きしたこと）」を引き出すことができなければ、読者に「面白そう」と感じてもらえる記事を書くのはなかなか難しいです。
もしも、検索するとすぐにわかる内容だけをベースに記事を書いたとしたらどうでしょう。いくら論理立てた構成で、わかりやすい文章だとしても、読み手の心が揺さぶられることはないように思います。

逆に、引き出した「素材」に独自性や光るものがあれば、記事構成やまとめ方、表現などが多少荒削りであっても、読者はあまり気にせず読み進めていけるのではないでしょうか。

インタビュイー(インタビュー対象者)の魅力や知見、生き方について、何か1つでも新しい発見を「この記事」に盛り込みたい。
そんな想いのもと、私は、取材(＝お話を聞くというインタビュアーのインプット)において、「面白い素材をどう発掘していくか」に心を注いでいます。
大事なのは、**相手の話をうまく引き出すこと。**

そして、そのためには、聞くための準備や技術が必要になります。何より大事なのは、相手に心を開いてもらうことであり、相手に「この人になら話してもいい」「話しちゃおう」と思ってもらえるかどうかです。

それが、アウトプット、良い言語化につながっていきます。

アウトプットの質を高める2つの視点

では、インプットの質とは何で測られるのでしょうか。人や状況、何をインプットするかなどによってもさまざまですが、あえて絞ると次の2つだと捉えています。

①アウトプットにつながるか
②独自性や希少性があるか

▼①アウトプットにつながるか

先にも述べた通り、インプットの質は「アウトプットの目的や目指すもの」をいかにイメージできるかにも左右されます。

第1章でも書いたように、アウトプットの目的や誰に届けたいのかという点を意識してインプットすると、「手あたり次第」のインプットより、質が高くなります。

「このインプットはアウトプットにつながるか」と定期的に振り返ることが大切です。

▼②独自性や希少性があるか

良いアウトプットとは、ズバリ「面白いアウトプット」だと捉えています。

情報があふれる世の中において、どこかで見たことのあるようなコンテンツを並べても、それを見た人の心を揺さぶることは難しいように思います。

そんななかで、面白いアウトプットは、何か1つでも「独自性や希少性」があるものだと考えています。

- **その人だけが体験した出来事**
- **新しい視点、世の中の見方・考え方**
- **興味深い歴史的事実**
- **知られていない情報やノウハウ**

など、独自性や希少性を含む情報の有無です。インプットの内容に独自性や希少性があれば、おのずとアウトプットはオリジナリティのあるものになります。

そのために**大事なのが、できる限り「一次情報」にふれること。**

一次情報とは、自らが直接体験から得た情報や考察、自ら行った調査の結果など、オリジナルの情報を意味します。

旅で体験したことの感想、本を読んで自分なりに考察したこと、人から話を聞いて学んだこと。これらは自分のアクションによって得られる「一次情報」です。これらを得るには、何かしら時間と手間がかかるもの。

しかし、その分、独自性があり、価値が生まれやすいものです。現場へ行き、生の声を聞き、肌で感じることが、自分独自のインプットとなり、結果的にアウトプットの質も高めてくれます。

この2つを念頭に、インプットする方法「聞く技術」から紹介していきます。

聞く技術1

インプットの質を上げる2つの準備

一連のプロセスにおいて、インプットの質が「まとめる・言葉にする」というアウトプットにおいて重要だと述べてきました。

では「聞く」「読む」の技術を磨くためにはどうするとよいでしょうか。

ここからは、「聞く」と「読む」に分けて、インタビューと本の要約で使っているコツについて、尊敬する人たちから学んできたことをまじえながら、解説していきます。

インプットの質は「準備」で上げられる

聞くスキルを身につけ、質の良いインプットを行ううえで大事なのは、「どう聞くか」ではありません。

それ以上に大事なのが、**「聞く前」に何を準備しているか**です。

取材やインタビューでいえば、事前に可能な限りリサーチして臨みます。

いわゆる「準備が8割」です。

「いやいや、私の仕事は取材やインタビューじゃないから……」

と思われたかもしれません。しかし、この事前準備は、商談や部下の相談に乗るといった日常的な「聞く」シーン全般において、効果的な方法です。

というのも、良質なインプットをしたいのなら、相手の情報をいかに事前に仕入れて、問いを用意しておくかが問われるからです。

たとえば、BtoBで新規営業をかけるケースでいえば、事前に相手の会社の情報を知らなければ、課題の把握や提案の精度が低くなってしまうでしょう。組織形態、競合相手やサービスのビジネスモデル、顧客について把握していなければ、相手の課題をヒアリングするとしても「何をしに来たの？」という状態になってしまいますよね。

逆に、相手の会社の情報を調べ尽くして商談に臨めば、「そんなに私たちのことを知ってくれているの？」と、一気に信頼を深める糸口になります。

ですから、事前に調べられる背景情報は、可能な限りリサーチすることです。

そしてもう1つが、**「問い」を持っておく**こと。

初めて会う相手や会社への問いを、間違っていてもいいから持っておく。

つまり、「仮説を持って聞く」ということです。

仮説を持つことで、相手により質の高い質問や問いかけができるようになります。

普段答えてもらいにくい内容でも、「良い問い」を持って話を聞いていくと、相手にも「この人はこれまでの人とちょっと違うな」と伝わります。

そうすると、相手も心を開いて話してくれたり、ほかではしない話をしてくれたりもするのです。

私がインタビューを行う際は、聞く準備を大事にします。

まず、この事前段階でつくるのが「取材項目」。

取材項目とは、「何を聞くか」「何を質問するか」をまとめたものです。

会話の目的にもよりますが、相手にもある程度準備が必要なことであれば、取材項目を事前に相手と共有するのもおすすめ。インタビュー対象者にも「どんなことを質問されるのか」が伝わっていると心の準備もしやすく、より良い回答を事前に考えてもらうことができますよね。

良い仮説をつくる「掘り下げシミュレーションメモ」

人の話を聞く際におすすめなのが、「掘り下げシミュレーションメモ」です。

「こんな掘り下げをすると面白いかも？」

「お相手はこう答えるかもしれない。そうしたらこんな問いをしてみよう」

などと、仮説を立てるのです。

私も、誰かに話を聞きに行く際は、このメモをつくるようにしています。

当日、相手の答えによって臨機応変に対応できる人はいいのですが、私は、事前にどんなお話になるのか、色々な可能性を探っておきたくなるタイプです。

シミュレーションメモを書いておくと、「もし時間が限られていたら、この部分は優先して聞こう」などと、時間配分の強弱も見えてきます。

シミュレーションメモでは、この対話によってどんな状態になりたいのかを、一言書くようにしています。たとえば、「相手が笑顔で、笑い声を時々あげている」「相手が

▶ **話を聞く前に問いと仮説を考える**

今後のビジョンについて真剣に語っている」などです。

ポイントは、できるだけ、その様子を動画のように思い浮かべることです。生き生きと具体的にイメージすることで、思い描いた姿が実現しやすくなるといいます。目標が達成したときの自分や周囲の姿をありありと思い描くと、脳はそれがまるで実現したかのように受け取るからだそうです。

こうしてシミュレーションメモを残したうえで、アウトプット（記事）の構成もイメージしておきます。

話を聞いている間、色々な方向に話が広がり脱線することは、意外なお話が聞けて喜ばしいこと。ただ、アウトプットの目指す姿がある限り、いくら話が広がっても「これだけは聞かなくては」という幹の部分を頭の片隅に置いておく必要があります。

そのためにも、仮説としての「構成」を事前につくっておくと、この幹の部分が聞きやすくなります。

構成というと難しく感じますが、実はシンプル。

予定通り話が聞ければ、序盤、中盤、終盤の3つの見出しをつくっておくだけです。

そして、序盤、中盤、終盤のそれぞれに、これだけは「聞く」というポイントを3つほどピックアップしてメモしておきましょう。そうすれば脱線しても話を戻すことができ、相手の話を聞きやすくなります。

アウトプットの構成案にあたる「聞いたあとメモ」の「メモの取り方」については、第3章で詳しく解説します。

もちろん、取材項目、掘り下げシミュレーションメモ、アウトプットの構成案、いずれも良い話を聞くための「仮説」です。「シミュレーションの順番通りに聞かなくてはいけない」というものではありません。

実際にお話を伺うときは、仮説にとらわれすぎないよう、そっと仮説を脇に置いて、目の前の相手のお話に向き合おうという気持ちでいることが大切です。

お相手が一番ノッて話してくれる部分を掘り下げる。

言葉は生モノです。その場でこそ生まれたものをすくい取っていきましょう。

聞く技術2

リサーチ&自己開示

取材やインタビューでは前もって開催日程が決まることが多いですが、前日に突然決まった商談や打ち合わせなど、準備時間をほとんどとれないケースもあるかと思います。仕事やプライベートを問わず、忙しくて事前に綿密な準備をするのは往々にして難しい方もいるでしょう。

こういった「十分な準備時間がとれないとき」でも、「聞くインプット」の質を高めるためにおすすめの方法が2つあります。

①SNSリサーチ

②積極的自己開示

まず大前提をお伝えします。準備が万端ではないときにやるべきは、急いで取材項目をつくったり掘り下げシミュレーションをしたりすることではありません。

それよりも**大事なのは、会話や打ち合わせで相手に全力で向き合い、その場を楽しむ**ことです。これが十二分にできれば、取材でも営業でも1on1でも、相手から良い話を引き出すことができます。

良い場がつくれるように全力を尽くせば、多少の準備不足もなんとかなります。もちろん、時間が許すなら、打ち合わせなどの直前まで、できる限り準備をするようにしてくださいね。

SNSは、相手の心を開くカギになる

では1つずつ見ていきましょう。

1つ目は、**相手のSNSやブログをざっとチェックしておく**ことです。

最近の投稿は必ず目を通しておきましょう。アイスブレイクで使える話題や興味の共通点などを見つけることができるからです。

仕事であっても、友人や知人との会話であっても、最初に心を開いてもらえると、その後に掘り下げられる内容の質は大きく変わってきます。

ことのたとえですが、昔から新聞記者や報道機関、潜入捜査官らは、取材対象といかに仲良くなれるかに苦心してきたといいます。

アメリカの麻薬王として知られたアルカポネの逮捕に貢献したというある捜査官は、アルカポネを調べ尽くし、彼の好きなお酒や好きなものを提供し続けたそうです。

その結果、誰よりも信頼を勝ち得、逮捕にまで漕ぎつけたといいます。

本例は極端ですが、**相手のことを知り、相手と仲良くなることは相手から良い話を引き出すための常套手段**です。相手が公に発信している情報にざっと目を通すだけで、

・最近関心のあるテーマは何か
・最近どんなことをしているか
・何に課題意識を持っているか

などを把握することができます。もちろん、「相手の関心はこうだ」と決めつけるのではなく、「こういうことに関心がありそうだから、こういう話題をふると興味を持ってもらえるかな」といった仮説を立てるためのヒントにします。

そして、相手からすれば、自分のことを理解しようとしてくれるのはプラスに働くとしても、マイナスに働くことはありません。5分もあればチェックできると思いますので、試してみてください。

相手に話しやすくさせる「共通体験」の伝え方

2つ目は、**「積極的自己開示」**です。

商談や1on1、採用面接などは、相手の話を聞くための時間であって、自分の話をする場ではないと思っているかもしれません。もちろん相手の話に耳を傾けることは重要ですが、自己開示をすることで相手が話しやすくなる効果があります。

これは**返報性の原理**が働くためです。返報性の原理とは、相手がしてくれたことに対して、自分も返さないといけないと感じる心理効果。

特に初対面の場合は、相手も緊張していることが多いはず。相手に質問して共通項を探るのもよいですが、こちら側から自分の体験や感想を短く語ることが、話の呼び水になるケースもしばしば。

- **商談先のオフィスに行くまでの道のりで見かけたものについて共有する**
- **チームのメンバーが映画好きなら、1on1の最初でメンバーがおすすめと語っていた映画の感想を伝えてみる**
- **相手が「大阪府出身です」と言ったら、大阪に行ったエピソードを話してみる**

このように、仕事に関する話だけでなく、プライベートの話を織り交ぜるのが効果的です。些細なことでいいので、自分から積極的に開示していくと、相手も気兼ねなく、自分自身の体験や感じたことを話しやすくなります。

準備時間が十分とれないときでも、自分の何気ない開示をきっかけに、「相手との間に橋を架ける」ことはできる。相手の反応を見ながらも、まずは自分が話題を提供して、相手にリラックスしてもらおう、「何でも話していい」という空気をつくろう、という気持ちで話してみましょう。

相手の心を開きたければ、まず自分から開いてみせる。

そうすることで、相手も話しやすくなり、より良い会話ができるようになります。

聞く技術3

「共感」と「俯瞰」を同居させる

「共感する自分」と「俯瞰する自分」

仕事で人の話をより深く聞くために必要なことは、「相手に共感すること」「冷静にその場を俯瞰すること」の2つだと考えています。

たとえば、上司が部下の相談に乗るシーンを考えてみましょう。

特に部下が悩み事を話す際、「こんなことで悩んでいるの、と思われたくない」「上司は受け止めてくれるだろうか」といった、不安な感情が湧いたりしますよね。

そんなとき、「そうか、あなたは○○に対して大変だと思っているんだね。たしかに、それは板挟みでつらいよね」などと、熱心に耳を傾けて、しっかり共感を表してくれるとどうでしょう。

淡々と「そうだったんだね」と答えてアドバイスや解決策を提示されるよりも、部下は「この人は、私のことをわかってくれている」と思って、心を開きやすくなるはずです。

とはいえ、ただただ深く共感されれば悩みを相談しやすいかというと、そうではありません。

共感することは、良いインプットを得るうえで重要なのですが、それを良いアウトプットにつなげようとした場合、共感だけではダメなのです。

共感するスタンスと同時に、俯瞰的に見るスタンスも必要になってきます。

たとえば、悩んでいる本人が動揺しているときに、一緒に動揺していても「この人に頼っていいのかな」と不安になりますよね。部下の悩みや感じていることに共感を示しつつ、同時に冷静に俯瞰的に思考しなければいけません。

上司が、部下の気持ちに寄り添いつつも、課題の本質を捉えようとする冷静さも備えていると、部下も信頼して話ができるようになります。

私も取材中は、「インタビュー対象者（＝インタビュイー）に共感し限りなく近づく自分」と、「全体を俯瞰する自分」の両方を同居させることを意識しています。後者は「メタ認知」に近い概念です。

まず、話を聞く際は、相手に興味を持って、全身で相手の言葉や非言語的な情報も読み取れるように意識します。極端にいえば、憑依するくらいに相手の言葉・語りに熱心に耳を傾けているイメージです。

相手が過去の経験について話しているなら、当時置かれていた状況や抱いていた感情、表情などを、できるだけ想像します。

そのうえで、現在の相手はこんなことを感じているのではないか、私ならどうだろうか、と相手の立場に立ってみるのです（もちろん、決めつけすぎずに、「私なら」と考えてみる）。

その一方で、時間配分を考えたり、この場で語られていることは何なのだろうと、読者代表として全体を俯瞰しながら場を客観視したりする自分も必要です。

　両方のバランスをとることは難しいのですが、「相手に共感する自分」「全体を俯瞰する自分」の2つを保つようにしています。

　この両方のスタンスを意識的に維持できるようになると、仕事でもプライベートでも聞く力は大きく向上します。相手の話に興味深く耳を傾けると同時に、聞かなければいけないこと、のちに文章にまとめるといったアウトプットの全体像も意識しながら話を聞くことができるのです。

　人の話を聞くときは、この両方のスタンスを意識してみてください。

▶「相手の話や想いに共感する自分」と
「冷静で俯瞰的に見る自分」を同時に保つ

会話・雑談が苦手な人のための聞く技術

インタビューでは圧倒的に聞く時間が長いですが、普段の雑談や会社での1on1といった日常的な会話ではそうではないですよね。

この会話の時間配分について考えたことはありますか？

「5：5くらいかな」

「9：1くらい話しているかも」

「1：9くらいでずっと聞いているかも」

などさまざまでしょう。ただ、ほとんどの人は、相手と自分がどのくらいの割合で話しているかなんて考えたことがないかと思います。

この話す割合（会話の時間配分）を考えられると、会話をするのが一気に楽になります。

なぜなら、話すのが苦手という人も、話す割合をイメージしておくことで思い切って聞き手に回ることができるからです。

たとえば、「今日メンバーとの1on1では『3：7』でたくさん話してもらおう」などと決めていれば、「いっぱい話さなきゃ」という気持ちが和らぐはずです。

「褒められる」と思っていないところを褒める

もう1つ、私が取材をするなかで学んだ、会話のテクニックを紹介します。

これまで「問いを持つ」という話をしましたが、日常的な会話では、質問を準備することはありませんよね。私がインタビュー前の雑談で心がけるのは「相手のアウトプットに対して感想を肯定的に伝えること」です。

特に良いのは、「相手が褒められると思っていないところを褒める」ということ。言い換えれば、普通なら気づかれにくい相手の良い点に気づいて、それを言葉にするだけ。

たとえば、会話の相手が著者であれば、ただ本の感想を伝えるだけでなく、読者にあまり届いていなそうなメインではないサブメッセージについて言及する。それだけで本を書いた本人は「伝わっている」と感じ、より心を開いてくれるようになります。

例として、著書の話を挙げましたが、どんなトピックでもＯＫ。

今日の服装、小物、仕草、言動など、素敵だなと思う点を、ちゃんと「言葉にする」のです。

褒められて嫌な人はいません。また、普通の人が気づかないところにも目を配れると、「自分のことをわかってくれる人なんだ」と思われやすいのです。

そのためには、相手のことを事前に観ることが大事になるのです。

アウトプット読書術

次は、インプットのなかでも「読む技術」についてです。

私が働いている本の要約サービスflierでは、これまでにビジネス書の要約のライティングは260冊、編集は約590冊、合計約850冊の要約制作に関わってきました（2024年4月現在）。

ビジネス書といっても、自己啓発、スキルアップに限らず、ノンフィクションや古典も含みます。色んな分野、スタイルの本を限られた時間で数多く読み、そのポイントを掴んで、読者の興味が湧くようにまとめる必要があります。

かといって、書籍ごとの構造や著者の主張、骨子を正確に理解することが大事ですので、飛ばし読みや内容の一部だけを拾う速読はしません。
そんななかで、いかに本に書かれた本質や著者の主張を読み取るか。

本書でお伝えする「読む技術」は、「アウトプットを意識した読書法」です。

これを身につければ、書籍の内容理解や読書のスピードも上がっていくと思います。
このアウトプットとは、要約に限らず、本からの学びや感想をSNSやブログでまとめる際や、人におすすめの本の概要を紹介する際など、幅広い成果物を意味します。
私がアウトプットのための読書で意識しているのは次の2つです。

コツ① カバー・帯・目次から「見取り図」をつくり、構造を頭に入れて読む
コツ② 問いを持って「宝探し」をする感覚で読む

1つずつ見ていきましょう。

コツ①カバー・帯・目次から「見取り図」をつくり、構造を頭に入れて読む

突然ですが、これから初めて行く遊園地をまわるとしたら、最初にどんなアクションをとりますか。

いきなり歩き始めるのもよいですが、まずは遊園地全体の地図を眺めてみるのではないでしょうか。全体の広さやどんなアトラクションがあるのかをザッと把握して、行きたいアトラクションに目星をつけると、効率よくまわれると思います。

同じように、読書においても地図のような「見取り図」があるとグッと読みやすくなります。もちろん、1ページ目から読み始めてもいいのですが、限られた時間で最大限ポイントや魅力を読み取るために役立つのが、「本のテーマと全体の構造を掴むこと」です。

難しそうに聞こえるかもしれませんが、やることはシンプルです。

・カバー（本の顔。タイトルやサブタイトルなどから、雰囲気を掴む）

・**帯**（**誰向けの本なのか、推薦コメントなどが書かれている**）
・**「はじめに」**（**本の最初なので著者の渾身の想いが書いてあることが多い**）

この順に読み、「本のテーマ」「ターゲット読者」を掴みます。次に、「目次」を一通り読み、本の全体の構造を頭に入れます。

「この本は6章立てなのか。最後の第6章で著者の結論が書かれていそうだな」
「第2章は気になる見出しがたくさんあるから、ここは重点的に読もうかな」

などと、**内容を読むより先に全体像に大まかな目星をつける**のです。

テーマ、対象、本全体の構造がわかると、自分に必要な箇所や、どこに何の情報が書かれているかなどをおおよそ掴めるため、読む速度は一気に上がります。

では、少し具体的に見ていきましょう。

たとえば、DXの基本に関する本があるとします。目次は次の通り。

第1章：DX推進が企業でなぜ大事なのか
第2章：DXを実現するプロセスとは
第3章：DXの成功事例
第4章：未来予測とDX人材育成

もし読書のアウトプットの目的が「DXの具体的な事例を社内勉強会で発表すること」ならどうでしょう。

成功事例が書かれた第3章を重点的に読むというふうに、全体のなかでどこを掘り下げるか、先に見当をつけることができますよね。自分の仮説が正しいかを検証する意識で、第3章を読んでいきます。

カバー、帯、「はじめに」、目次に目を通そうと書きました。特に目次は本の全体像と構成を表すものであり、活かしどころがたくさんあります。

読書している間も、「今読んでいる内容は全体のなかでどういう位置づけなのか？」と振り返るときにも活用できますよ。

コツ② 問いを持って「宝探し」をする感覚で読む

アウトプットを意識した読書法では、「アウトプットに役立つかどうか？」という視点で、本と向き合うことが必要になります。

ブログに書評を書く、読んだ本の面白いポイントを友人に伝える。こうした目的で「著者の一番伝えたいことは何か」を掴みたい、ということは多いでしょう。その際、著者が一番伝えたいことを探す手がかりは何でしょうか。

本のスタイルはさまざま。ですが、本文でくり返されるワードや、「強調したいのは～」「重要なのは～」といった表記がある箇所は著者の大事な主張であることが多いです。ほかにも次のような点を意識すると、重要ポイントが掴みやすくなります。

- **逆接（「だが」「しかし」）の接続詞のあとに、要点やキーワードが登場しやすい**
- **「このように」「以上から」などの「まとめ」を表す接続詞**

・一般論を述べたあとに、著者の持論を展開するパターンもよくある

この3つを意識してみてください。

そのうえで、アウトプットに向けた読書では、いかに「問い」を持つかを大事にしています。本のなかで「宝探し」をしている感覚で読むのです。

・睡眠に関する本から、今日から実践できる「熟睡するための方法」を掴むには？
・経営者の自伝から、チームの運営に活かせそうな「人材育成の心得」を知るには？
・ロジカルシンキングの本から、わかりやすい「論理の組み立て方」を掴むには？

こうした問いを頭の中に浮かべておくと、受け身の「読者」でいるときよりも、一歩踏み込んで、能動的に文を読めるようになっていきます。

それは、目的意識が明確だから。ポイントが目に飛び込んできやすく、論理の流れも格段に追いやすくなるのです。

▼速くポイントを掴みとるコツ

本を要約する際には、対象の書籍を一冊丸ごと読みます。ですが、普段の読書では、「すべて読まなくては！」と気負わなくていいと思っています。

小説などであれば別ですが、ビジネス書などの読書のゴールは読み切ることではなく、いかにアウトプットに活かすか。

速く読んでポイントを掴みたいときも、まずは本のカバー、帯には目を通します。本のタイトルや帯コピーには本のエッセンスやメッセージが凝縮されているからです。ここに目を通すことで、短時間で「この本の主題は〇〇かな」と仮説を立てて読むことができます。

次に、「この本から何を得たいのか」を明確にする。

そのうえで目次から、得たい知識や情報のキーワードが書かれている箇所のあたりをつけるのです。

そして、該当箇所を読む際も「得たいもの」を発掘する心持ちで読んでみましょう。

このように、「目的意識の明確化→目次での読むべき箇所の絞り込み」が、速くポイントを掴むために役立ちます。

「好奇心」が言語化の質を上げる

好奇心を持つだけでなく、「表現」する

ここからは、より良いアウトプットに向けて、インプットの質を高めるために大事にしたいマインドセットや意識したい点を個々に紹介していきます。

「相手（対象）のことを知りたい」

そんな純粋な好奇心を抱き、言語・非言語両方で示すことで、相手も自分の考えや本心を開示しやすくなります。本心が開示されると、アウトプットのための素材がよ

り本質に迫ったものになり、結果的に、言語化の質を上げることにもつながります。

大事なのは「好奇心」。そして、それを表現することです。

たとえば、Ｚｏｏｍなどでのオンライン会議の風景を思い浮かべてみてください。

参加者に議題について話している最中に、こちら側に視線を向けて、少し笑みを浮かべながら、時折うなずいて聞いているＡさん。

かたや、視線は画面とは違う方向を向いていて、無表情のまま動かないＢさん。

この情報だけで「信頼できる人、またはもっと話をしてみたい人を選んでください」と言われたら、Ａさんを選ぶ方が多いのではないでしょうか。

もしかしたらＢさんも、無表情であっても、その議題について真剣に考えていたのかもしれません。でも、それは話し手には伝わってこないものです。

別の例でも考えてみてください。

商談で、お客様が自社の課題について話しているシーンをイメージしてみましょう。

お客様と適度にアイコンタクトをとり、うなずきながら、話に応じて色んな相槌を打ち、お相手の話を聞く。
「とても勉強になります。詳しく聞かせていただけますか」。その言葉が話の呼び水になり、お客様は「この人になら」と本音を話してもいいと思えて、問いに対して本心を答えやすくなっていきます。

表現方法は、置かれた状況や相手によってさまざま。ですが、「好奇心」を言葉や態度で表すことは、「もっとこの人に話したい！」と思ってもらう一歩になります。

話し手側も、自分の体験や考えを伝えることで、フィードバックを自然と期待している面があります。話したことに対して「それ面白いですね」と言われると、勇気づけられますし、思考の整理が進みます。
余談ですが、「そもそも相手にどう好奇心を持ったらいいかわからない」と悩む場合もあるかと思います。そんなときは、できるだけお相手の属性や発信している内容などから、自分との共通項を探してみるのも手です。

また、自分自身がそもそも何に好奇心や興味を持っているかを客観視しておくと、共通項探しがしやすくなります。

時間のあるときに、好奇心リスト（自分が好奇心を持っている対象）を箇条書きで書き出してみてはいかがでしょうか（対象の具体性のレベルはバラバラでも問題ありません）。

このように、聞き手の「好奇心」が、話し手のアウトプットの深さを引き出し、結果的に言語化の質を上げることにつながります。

質問以前の「聞くスタンス」

実は、好奇心を持って質問を投げかける前に、大事なことがあります。

それが「聞くスタンス」です。

どんなに良い質問を用意していても、聞く姿勢や相手との向き合い方が煩雑であれば、相手は心を開いてくれなかったり、話したくないと思ったりするかもしれません。

「聞けば答えてくれる」「良い質問をすればいい」と安易に考えてはいけません。良い質問よりも大事なのは、「この人になら話したい、話してもいい」と思ってもらうことです。


では、良い「聞くスタンス」とは、どのようなものでしょうか。

私は、**「先入観を持たずに、心から興味を持って、相手を受容する」**という姿勢だと考えています。

相手の言動に良い・悪いといった判定をせず、相手の言葉をそのまま受け止める。そうした姿勢が「聞くスタンス」の本質だと捉えています。

そのうえで、相手の話をもとに「提案資料をつくる」「記事にまとめる」などのアウトプットをする際は、「自分なりの視点や解釈」を持って、言葉にする。

ポイントは、話を聞いている間に、「こう思っているはずだ」「これは間違っている」といった決めつけや評価を入れず、フラットに相手の言葉と向き合うことです。

とはいえ、「先入観を持たない・評価を入れない」というのは、いざ実践となるとなかなか難しいものです。

どうしても、相手の話を聞きながら、「それって本当かな?」「頭ではわかるんだけど、なんだか共感しにくい」などと、頭の中で価値判断の声がします。

こうした価値判断や思い込みを捨て去ることはできません。ただ、聞いている最中に、できるだけ「脇に置く」ことは、心がけによって可能になると信じています。

カウンセリングの神様「ロジャーズの3原則」

では、「先入観を持たず、心から興味を持って、相手を受容する」ためには、どんなトレーニングが有効なのでしょうか。

私が参考にしているのは、「ロジャーズの3原則」です。

カール・ロジャーズは、アメリカの臨床心理学者でカウンセリングの基礎を築き、「カウンセリングの神様」とも称される人物です。

ロジャーズは、聞く側が意識するとよい「傾聴の3原則」を挙げています。

①共感的理解
②無条件の肯定的関心
③自己一致

「共感的理解」とは、相手の立場に立って、相手の話の内容や気持ちに共感しながら理解しようとすること。

「無条件の肯定的関心」とは、相手の話に対して良し悪しや好き嫌いの判断・評価を入れずに、肯定的な関心を持って聞くこと。

そして「自己一致」とは、聞き手が相手に対しても自分に対しても真摯な態度でいること。わかりやすくいえば、

・**相手の立場になって共感しながら理解する**
・**聞いている最中、内容に関して良い・悪いを評価しない**
・**相手に敬意は持ちつつ、相手にも自分にも嘘をつかず感じたままを受け入れる**

とでもいえるでしょうか。

この3原則はカウンセリングに限らず、相手と深い対話をして、相手の考えを聞くというインプット全般において役立ちます。

たとえば、管理職やプロジェクトのリーダーなら、メンバーとの1on1で、「聞くスタンス」を意識してみると、対話の深まり方が変わってくるはずです。

上司・部下やリーダー・メンバーの関係性だと、上司・リーダーは責任感から、つい「相手にアドバイスや指導をしなくては」と考えがち。「次に何を言うか」に意識がいってしまうのです。これでは相手の話をじっくり傾聴するモードになれないですよね（私もそうなるので、よくひとりで反省会をしていることも……）。

この3原則は、言われると「たしかに！」と思うのですが、いざ実践しようとするととても難しいのです。

「えっ、この人の話、全然共感できない！」

「あまり関心を持てないのが本音だけど、それを顔に出すこともできないし……（＝つまり自己一致していない）」

私自身は、こんなシーンの連続でした。相手がこちら側の信念を否定するような発言をしているので、モヤモヤが募り、話に集中できない、といったこともありました。

そんなときには「まずは相手の話を聞いて、相手に興味を持とう」と、「無条件の肯定的関心」に立ち戻りましょう。

わかりやすく言えば、もっと相手に興味を持ってみるのです。

たとえば、「この人、苦手なタイプ」という思いがあったとします。その気持ちを受け止めてから、いったん深呼吸をします。そして、「苦手だと思っているけれど、素敵な面が1つだけでもあるかもしれない。まずは聞いてみよう」と自分に声をかけるのです。

良い・悪いの判断を下す自分を否定せずに脇に置く。そのうえで、「この対話で相手が自ら何か気づきを得られるようにするには？」という問いを持つと、自分自身の心の持ちようや振る舞いが変わってきます。

ちなみに、聞くスタンスについてお手本にしているのは、田中美絵さんです。

朝日新聞「仕事力」などで経営者や文化人の取材執筆を2000人以上行ってきたインタビューライターであり、コピーライターでもあります。

田中さんに取材の機会をいただいたとき、私の問いに興味と共感的理解を示しながら聞いて、質問以上の内容を話してくださいました。

まさに「ロジャーズの3原則」を体現している対話のプロです。こうした聞くスタンスに少しでも近づきたい、と考えています。

「相手を知る」ために、まずは「自分を知る」

最後に、「聞くスタンス」は自分の心の余白があってはじめて、保ちやすくなるもの。お相手の話を受容するには、自分の思考特性、置かれている状況、健康状態を自分で認識しておく必要があると考えています。


そこで大事なのが「自己認識」、つまり「自分を知る」ということです。

セルフ・アウェアネス（自己認識）とは、自分自身の内面に意識を傾けること。心理学者のダニエル・ゴールマンは、ＥＩ（感情的知性）の第一の要因はセルフ・アウェアネスであると指摘しています。スタンフォード大学経営大学院の調査でも、リーダーが伸ばすべき最大の能力として、セルフ・アウェアネスが挙げられているほどです。

優れたリーダーは、自分を形づくってきたもの（強み、弱み、価値観などの内面的自己）をよく知っていて、他者が自分をどう見ているか（外面的自己）をありのままに受け止めるのだそうです。

とはいえ、「いやいや、自分を知るのは大事とわかっているけれど、それが難しいんだよ」と、この概念を知った当初の私は正直思いました。

しかも、自分の強みを知るのは楽しくても、自分で見たくなかった弱みを知るのは勇気がいります。

ただし、「この弱みを克服しなきゃいけない、などと気負う必要はない」と思うようにすることで、少し気がラクになりました。弱みは強みの裏返しであることも多いからです。

たとえば「せっかちで、先のことが不安になる」という点が私の短所の1つなのですが、これを「だからこそ先を予測してリスクに対処しやすい」などと捉えられるようになりました。

自分を知るプロセスを少しでも楽しいものにするためにおすすめしたいのが、「自分の情熱を傾けられるポイントは何か？」と自分に質問することです。

私はどんなテーマにふれたときにワクワクするのか？
私はどんなものに出合ったとき感動するのか？
私は何に情熱を傾けて生きていたいのか？

私の場合は、インタビューを通じて多様な方々のプロフェッショナルな姿や生き様を垣間見ることが、情熱の源です。お話ししていただいたからにはその内容を伝えなくてはと、心の炎が燃え上がるのです。

こうした自分を知る時間は、心に余裕があるときにとっておき、相手を知る際に活かしていきたいものです。

特にこれまでの「過去の行動」を振り返ることで、自分が何を大事にしているのか、どんなことが強みなのかが見えてきます。

行動は嘘をつきません。

自分がどのように感じ、どのように行動してきたか。その自己理解が深まることで、相手の話を聞くときにも、「自分にはこういう思考特性があるから、○○という言葉に過剰に反応してしまうのかな」などと、状況を冷静に見やすくなります。

自分を理解することが、「ロジャーズの3原則」を実践する「聞くスタンス」を整え、相手との良い対話につながるのです。

話や言葉ではなく「想い」を聞き出す

人に質問をするときに、おすすめのポイントがあります。

それは**「話や言葉を聞き出そう」ではなく、「想いを聞き出そう」**とすることです。

相手から必要な情報を聞き出す、何かを教えてもらうために質問をする、というだけだと、「相手から情報を一方的にもらおうとしている」という印象を与えてしまいます。良くいえば質問攻め、悪くいえば尋問のようなものになってしまうかもしれません。

先にも述べた通り、相手の話を聞くというインプットの際には、良い関係性を築くためのコミュニケーションが必要になります。

郵便はがき

差出有効期限
令和7年6月
30日まで

162-8790

東京都新宿区揚場町2-18
白宝ビル7F

フォレスト出版株式会社
愛読者カード係

フリガナ お名前	年齢　　歳 性別（ 男・女 ）
ご住所 〒 ☎ （　　） FAX （　　）	
ご職業	役職
ご勤務先または学校名	
Eメールアドレス メールによる新刊案内をお送り致します。ご希望されない場合は空欄のままで結構です。	

フォレスト出版の情報はhttp://www.forestpub.co.jpまで!

フォレスト出版　愛読者カード

ご購読ありがとうございます。今後の出版物の資料とさせていただきますので、下記の設問にお答えください。ご協力をお願い申し上げます。

● ご購入図書名　「　　　　　　　　　　　　　　　　」

● お買い上げ書店名「　　　　　　　　　　　　　　」書店

● お買い求めの動機は?

1. 著者が好きだから　　2. タイトルが気に入って
3. 装丁がよかったから　　4. 人にすすめられて
5. 新聞・雑誌の広告で（掲載誌誌名　　　　　　　　）
6. その他（　　　　　　　　　　　　　　　　）

● ご購読されている新聞・雑誌・Webサイトは?

（　　　　　　　　　　　　　　　　　　　　）

● よく利用するSNSは?（複数回答可）

☐ Facebook　☐ X（旧Twitter）　☐ LINE　☐ その他（　　　　　）

● お読みになりたい著者、テーマ等を具体的にお聞かせください。

（　　　　　　　　　　　　　　　　　　　　）

● 本書についてのご意見・ご感想をお聞かせください。

● ご意見・ご感想をWebサイト・広告等に掲載させていただいてもよろしいでしょうか?

☐ YES　　☐ NO　　☐ 匿名であればYES

そのうえで取材なら、相手の取り組みや実績だけでなく、その背後にある「想い」をお聞きする場面があります。

ただ、どんなことでも話してくださるのはありがたいことですし、あくまで差し支えない範囲でいいですよ、という気持ちは示したい。そこで聞き手の私自身がまずは「ありのままの自分を開示します」という心構えを示すようにしています。

「想い」を聞き出すコツ

「なぜ」と聞くと相手は問い詰められたように思って答えにくい、と言われることがあります。たしかに「なぜ、できなかったの？」などと聞かれると、問い詰められたり責められたりしているように感じてしまいます。

これでは本音を話すモードにはなりにくいものです。ですが、素朴な疑問としてのＷｈｙは、本質に迫っていくための大切な問いだと思っています。

私は、聞き方やトーンを工夫すれば、この「責められ感」はある程度和らぐと考えています。

ポイントは、「なぜ」と繰り返し理由を聞くのではなく、「どんな想いからでしたか？」と背景を聞くこと。

もちろん、シンプルに「なぜ○○をされたんですか？」と聞くこともよくあります（「なぜ」が連続しないように意識しながら）。

たとえば、「そのとき、○○の行動をとったのは、どんな想いからだったのでしょう？」などと、背景を聞いてみるようにします。話すペースをゆっくりにする、相手がそのとき感じたであろう感情を想像しながら、相手と表情を合わせます。

また、肯定的あるいは中立的な内容であっても、「なぜ、それを継続できたのですか？」「なぜ頑張れたのですか？」などと、Ｗｈｙをそのまま投げかけると、相手が心の準備ができていないときに面食らう恐れがあります。

このようなときは、「これは私の興味で聞くのですが……」「可能な範囲でいいので、継続できた秘訣を知れたらと思いまして」などと、先にその質問の意図を伝えるようにします。そうすることで、相手も心づもりがしやすくなります。

「想い」を聞くことは、なぜ大事なのか

そもそも、なぜ、想いを聞くことが大事なのか。

1つ例をもとに考えてみましょう。

たとえば、ある創業経営者Aさんに自社プロダクトの営業をするとします。経営上の課題に「私たちはこんな解決策を提示できます」と伝えるために、その課題を調べたりヒアリングしたりしますよね。

そうした課題を掘り下げるだけでなく、Aさんが「そもそもどうしてこの会社を興したのか」という事業の原点を聞いてみる。するとどうでしょうか。

「御社のミッションは○○と聞いていますが、そのミッション実現に向けて、この事業を始めたのは、どんな背景があったからなのかをお聞かせいただけますか？」

たとえばこんな問いを投げかけることで、Aさんから自身の起業時の想いや目指す世界について、今のAさんの言葉で語ってもらいやすくなります。

起業した理由、背景にある想いを共有してもらい、それをしっかり受け止めることで、相手に「この人は私の味方だ」と思ってもらえます。

少なくとも、「あなたのことを、表面上だけでなく心から理解したいと思っていますよ」というメッセージを相手に伝えることができるのです。

こうした「想いを聞く」対話が一度でもあるかどうかが、そのあとの信頼関係に影響してきます。相手の本心を掘り下げやすくなり、良質な「聞く」のインプットを得やすくなるのです。

実際のインタビューの事例も紹介します。

史上最年少の36歳で福岡市長に就任した高島宗一郎さんに対して、取材したときのことです。オンラインでの取材でしたが、画面越しに高島さんの使命感や優しいお人柄が伝わってきて、今も印象に残っています。

ご著書『日本を最速で変える方法』（日経BP）を上梓された際に、全国に先駆けて行政のハンコレス化を完了させ、福岡都心部を感染症対応シティにつくりかえるなど、挑戦・変革の軌跡をお聞きしました。その際、私はこうお尋ねしました。

「高島市長は36歳のときに最年少市長となり、挑戦を続けていらっしゃいます。福岡から日本を変えていこうとしている理由は何でしょうか」

ちょっとした表現の違いはありますが、挑戦の原動力に迫りたいという好奇心、そしてそれを知りたいであろう読者のことを考え、「〜〜している理由は何か」と尋ねたのです。その後、高島さんは、ご自身の死生観を含めて、挑戦の原動力について答えてくださいました。

後日談として、高島さんは、個別に取材へのお礼のメッセージをくださいました。

「取材が始まる前のフリートークのときから、松尾さんがとても準備して取材に臨んでいただいていることがわかって、最初から火をつけられました。また新しい取り組みをしたときには、松尾さんに引き出してほしいと思いました」

といった内容を、個別に書いてくださったのです。お忙しくても、関わった一人ひとりを勇気づけるコメントをくださることに感謝の念でいっぱいになりました。

挑戦の理由を尋ねる質問は、斬新な問いではありません。きっとご本人も色々な場面で聞かれてきた問いでしょう。ただ、「あなたの行動に一貫して根付いている価値観・原動力に心から興味があるんです」と示すことで、より深いところまで話してもいいかな、という気持ちを促したのではないか、と推測します。

だからこそ、行動の背景にある想いや、志、信念を聞くことが大切だと考えています。

想いを引き出す3つの「問い」

相手の「想い」を掘り下げるための「テッパンの問い」

相手の想いを深く聞くための「テッパンの問い」について紹介していきます。

もちろん「必ずこう聞けばいい」というものはありません。しかし、深い想いを聞くのに役立った問いをストックしておくことで、一から考えるよりも、深まる問いを投げかけやすくなります。相手が好きなことを、好きな角度で話せる定番の問いを用意しておくのも効果的です。

想いを引き出すうえでおすすめなのは、次の3つの問いです。

①「時期」の問い
②「影響を受けたもの」の問い
③「行動・意思決定」の問い

▼①「時期」の問い
「いつ頃から〇〇を始められたのですか？」

先ほど、いきなり「なぜ」と聞かれると答えにくいと書きました。そこで、理由や背景を聞くための入り口として、「いつ頃から」と尋ねてみます。これはファクトを聞く質問なので比較的答えやすいはずです。

このとき、相手の意識はその行動を始めた時期（=過去）にさかのぼります。それにより、「3年前は転職するか迷っていたな」などと、当時の情景が浮かんで、そのときの出来事を思い出しやすい状況になります。

そのうえで「そのとき、どんな想い（きっかけ）で〇〇を始めたのでしょうか」と背景を聞きます。すると唐突感がなく、自然に相手の想いを聞きやすくなります。

▼②「影響を受けたもの」の問い

「あなたの人生や価値観に影響を与えた本（または映画、人）を教えてください」

人生や価値観に影響を与えた本や映画、旅などは、その人の思い入れのある経験を掘り下げるのに良い問いだと思っています。特に本の場合は、どんな本を相手が選ぶかによって、話の膨らむ方向性が予想もつかないことが多く、おすすめです。聞き手側の想定を超えるテーマの本が話題にのぼると、話し手の意外な素顔や大事にしている価値観が垣間見えることも多々あります。

たとえば、経営学者の入山章栄さんに世界最先端の経営理論に関するインタビューをしたときのことです。人生に影響を与えた本について聞き始めると、好奇心あふれる様子で小説や漫画について語ってくださいました。

特に『HUNTER×HUNTER』が好きだそうで、取材時には次のように教えてくれました。

「『ハーバード・ビジネス・レビュー』の連載で目指しているのは、『HUNTER×

HUNTER』のキメラアント編なんですよ。あの天才的な伏線とカタルシスで読者を唸らせられるような構想に憧れて書いているんです」

このような意外なエピソードを語ってくださいました。ここから入山さんが記事の連載で読者に発見や驚きがあるように工夫を凝らしている姿も伝わってきます。

このように本に関する問いは、相手の好きなことをテーマにできる分、予想外の展開とともに相手の価値観や想いを掘り下げるのに役立ちます。

▼③「行動・意思決定」の問い

「私なら〇〇と思いそうですが、(そうではなく)〇〇に決めたのはどんな想いからでしたか?」

3つ目のテッパンの問いは、ある印象的な行動や意思決定についての想いを尋ねるものです。ポイントは、「もし私ならこう思う」と自分の意見を伝えることで、相手の考えの独自性を際立たせる点です。

本人は自分の意思決定や考え方を当たり前だと思っていても、他人から見ると「なぜそんなに頑張れたのだろうか」「どうしてそんな斬新なことを思いついたのだろう」などと、驚きや畏敬の念、発見に満ちたものであることも多いものです。そうした点を相手に気づいてもらい、その人ならではの想いや価値観に迫っていきます。

いかがでしたか。これまで紹介したような「テッパンの問い」をストックしておくことで、より深い想いを聞きやすくなりますよ。自分流に使いやすい形にアレンジしてみてくださいね。

待つことの大切さ「ネガティブ・ケイパビリティ」

特に、インタビューやヒアリングで、少し聞きにくいけれど本質に迫る問いを投げかける場面もあるでしょう。そうしたときは勇気がいるのですが、冒頭で「差し支えない範囲でよいのですが」などとクッション言葉を入れつつ尋ねます。

相手が沈黙することもあります。単に「答えにくい質問」と思っているケースもあれば、「今まで考えたことがなかったから逡巡している」というケースもあるでしょう。

そんなときには、**「ネガティブ・ケイパビリティ」**の出番です。

作家で精神科医である帚木蓬生さんの著書『ネガティブ・ケイパビリティ』（朝日新聞出版）によると、ネガティブ・ケイパビリティとは、「事実や理由を性急に求めず、不確実さや不思議さ、懐疑のなかにいられる能力」を意味するそうです。

簡単にいえば、「わからないことをわからないまま、宙ぶらりんの状態で受け入れ、耐え抜く」ことです。

相手が沈黙していると、ついこちらから何かを話さなくてはと焦ってしまいがち。ですが、そのときに**「宙ぶらりんの状態でも、受け入れて待つ」という姿勢を思い出すと、落ち着いて相手から出てくる言葉を待てる**ようになります。

そしてその言葉こそが、その人の本質に迫る可能性もあります。もちろん、お相手が疑問を持っていそうなら、質問の言い換えや補足をしますが、考え込んでいるときには、相手を信じて待つようにしています。

こちらが緊張や焦りを抱きそうなときは、笑みを軽く浮かべて、深呼吸をしてみます。息をゆっくり吐くのに合わせて、身体の重心が下がっていくのを感じ取ると、心が落ち着きやすくなりますよ。

こんなふうにネガティブ・ケイパビリティを大事にすることで、話し手が「この人といると、つい色々話してしまう」と思うような対話になりますし、そんな対話を増やしていけたらと思います。

「聞く力」「質問力」以上に役立つ「感想力」

これまで、より的確で実り豊かなアウトプットにつなげるための「聞く」を実践するために、「聞く力」や「質問力」をどう磨いていくかを紹介してきました。

実は、こうした力以上に、お相手から本音や面白いことを引き出すのに役立つ力があるんです。

それが**相手の話を受けて思ったことを端的にコメントする「感想力」**です。

「感想力」とは、一言、二言で端的に自分の感じたことを表現する力を意味します。これも言語化力の1つですが、ここでは聞くというインプットをする際に必要な言葉にする力です。

もちろん、相手の話を聞くときだけでなく、相手の行動や仕事、働き方……など、相手が何かをつくった、成し遂げたといったときでも感想力は効果を発揮します。良い感想が言えると、それが話の呼び水になり、相手の心を開くことにもつながります。

「○○さんの話を聞いたら、胸が締め付けられました」

「○○さん、それって私だったら驚いてフリーズしちゃいますよ」

など。話し手が、「そう、それ！」という気持ちになる感想は、「自分の言いたかったことが伝わっている」と話し手を安心させるものです。また、話し手自身が無意識に期待していた反応が得られたことで、嬉しくもなるでしょう。

そのため、そのコメントをさらに膨らませるような形で、話が発展していきます。

ポイントは、その感想を一言で伝えること。

相手が「そう、それが言いたかったの」「ちゃんと伝わった」と思ってくれるような言葉かどうかが大事です。

もちろん「いやいや、(言いたいことは) そうじゃないんだよ」と相手の意図と違っていてもかまいません。あくまで感想なので、そこまで嫌な気持ちにはならないでしょう。「むしろこうなんだよ」とさらに解説してくれて、より対話が深まる可能性もあります。

かくいう私も以前は、「汲み取れなくて申し訳ない」という気持ちでいっぱいになっていました。ですが、相手への敬意を忘れず、素直に感想を伝えれば、相手への深い理解につながると考えるようになりました。

感想力を磨くヒントは「相手の言葉」にある

ではこうした、相手の話の呼び水になりそうな感想をどうやって一言で伝えるのか？　ヒントは相手の言葉にあります。

相手の言葉において「どこにエネルギーを一番注いでいるのか」に注目するのです。

たとえば、友人が会話のなかでこんな発言をしたとしましょう。

「昨日ブルーインパルスの飛行ショーを観にいったら、激混みで、帰りのバスに乗るまで4時間近く待ったんだよ」

このとき、どんなコメントを返しますか？


「ブルーインパルスを観に行ったんですね」

「激混みでしたか」

「4時間近くも待ったのですね！」


など、色々ありますね。どこに着目するかでコメントの内容が変わります。

もし相手が不服そうな雰囲気ではなく、ちょっと楽しそう、あるいは驚きや頑張りを伝えたいような雰囲気だとしたら、どうでしょうか。

私なら、4時間近く待ってもよしとする、友人の「ブルーインパルスへの並々ならぬ情熱」に着目します。そして、「（4時間近くも待つほど）ブルーインパルスのこと、大好きなんですね！」とコメントします。

もちろん、感想に正解はありません。

ただ、相手に「わかってくれた」と思ってもらえる感想を目指すことで、相手との関係性は良くなり、あなた自身の言語化力も磨かれていきます。また、「良い感想を言葉にしよう」と意識する習慣ができれば、日々、見たり聞いたりするときの注意力や観察力も格段に引き上げられます。

相手の話しぶりで、特にエネルギーや思い入れがあるところに着目してみて、素直に自分の感想を添えてみましょう。きっと相手もさらにお話を進めてくれるはずです。「何か気の利いたコメントを返さなくては」と気負う必要はありません。

「○○なんですね（目を輝かせて）！　びっくりです！」とシンプルな言葉を発するのも、「感想力」の1つです。

あくまで相手の話の呼び水になるように、相手が「そうそう、そうなんだよ！」とノッてくれやすいポイントを言葉とリアクションでお伝えする、というのが大事だと考えています。

感想力を高める3つの習慣

「感想力」は営業などの仕事はもちろん、プライベートでも役立ちます。

たとえば著者の取材でも、事前に著書を読み込んで、自分なりの切り口で感想を伝えると、お相手の反応が変わります。

このとき「感想を伝えるためには語彙力が問われるんじゃないか」と思われるかもしれません。もちろん、語彙の引き出しが多いとプラスになります。ですが、どれだけ語彙を学んだとしても、大事なのは、それを良いタイミングで使えるかどうか。

感想力を高めるうえで「語彙力」以上に大事なのが「観察力」です。

相手の話のなかで思い入れがあることは何だろうか？　相手はどんな表情をしてい

るのか？　どんな感情だろうか？　それらをじっくり観察したうえで、「もっと相手が話せるようになるには？」と考えて、自分の感想を素直に表現する。

まずは観察で相手の思い入れのある部分や気持ちがノッているところをしっかりインプットしましょう。

とはいえ、すぐに端的に感想を表現できるかというと、なかなか難しいものがありますよね。私も相手に感想を伝える際、「もっと的確な表現がありそうなのに出てこない」と歯がゆくなるときもあります。

では、どうすれば感想を上手に伝えるスキルが身につくのか。それは次の3つです。

①問いを持ってインプットする
②感想のアウトプット回数を増やす
③食レポ言語化トレーニング

▼①問いを持ってインプットする

映画を観る、人の話を聞く、本を読むといったときに、しっかりと「問い」を持って対象に向き合うことです。

たとえば、友人にすすめられた映画の感想を聞かれた際に、「面白かったよ」としか言えないとしたら、漫然と観ていて、気づきをあまり得られなかったのかもしれません。

別のことを考えながら集中せずに相手の話を聞いていると、右から左へ流れていってしまうでしょう。息抜きなら、ボーッと映画を観てもまったく問題ありません。ですが、「感想力」を高める観点では、問いを持って思考を巡らせながら、真剣に対象に向き合うことが大切になります。

「なぜ主人公は、あのとき、あんな行動をとったんだろう？　Aだから？　それともBだから？」などと具体的な問いを立てて、推測してみましょう。それにより独自のアンテナが立ち、観察力が磨かれ、感想のキーワードを拾いやすくなります。

▼②感想のアウトプット回数を増やす

感想力を高めるのに役立つ2つ目の方法は、とにかく「感想のアウトプット回数を増やす」ことです。

たとえばXやFacebookのリプライ（返信）で、感想を短く添えてみる。
そのとき、「すごいですね」「面白そうです」などと、ほかの投稿にも使える言葉はできるだけ避けましょう。

▼③食レポ言語化トレーニング

ご飯を食べるときに「食レポ」をしてみるのもおすすめです。

「おいしい」「うまい」では、その料理ならではの魅力は伝わりません。おいしいと思った点の解像度を高めていきましょう。「ネギがシャキシャキしてスープの旨味を引き立ててくれます」と食感を伝えたり、「色とりどりの野菜が散りばめられていて、目でも楽しめます」と見た目に注目したりします。そうすることで、感想を伝える表現の幅が広がります。

トレーニングで心がけたい点は、「瞬発力」です。

「感じて、パッと言葉にする」を意識してみてください。

じっくりと、しっくりくる言葉を探すことも大切ですが、商談や会議、１ｏｎ１、取材などでは、感想を伝えるタイミングも大事になります。

瞬発力をつけるには、色々なシーンでの「感想のストック」が必要になります。

今の時代は多種多様な対談の音声配信や動画コンテンツがあるので、そこから相手の話を促す感想の伝え方を学ぶのも効果的です。


私はＮＨＫのスイッチインタビューや、エッグフォワード株式会社代表の徳谷智史さんと音声プロデューサー野村高文さんによる「経営中毒～だれにも言えない社長の孤独～」、荒木博行さんの「荒木博行のbook cafe」の対談から、当意即妙な感想の伝え方を学んできました。

コメントがうまい人、言語化が上手だなと感じる人の言葉を参考に、感想をアウトプットする機会を増やしてみてください。

「会話を続ける」から「思考を掘り下げる」へ

会話のキャッチボールはスムーズじゃなくていい

ところで、印象に残った会話や理想的な会話というと、どんな会話が思い浮かぶでしょうか。スムーズなキャッチボールができている会話をイメージする人もいるかもしれません。

私も以前は、「そんな会話を見本にしなくては」と思っていました。

けれど、取材を重ねるうちに、キャッチボールがスムーズかどうかにとらわれなくてもいいと思うようになりました。流れるような会話だから深く聞けたかというと、必ずしもイコールではなかったためです。

相手の話を聞くうえで大切なのは、相手の思考や価値観を深く掘り下げること。

表面的に聞くのではなく、相手の想いや、考えを掘り下げていく。そうすれば、話は自然と続くようになります。

取材のように相手の話を引き出したいと思うのであれば、スムーズさを目指すことよりも、しっかりと問いを持つことが大切です。

掘り下げるということは、当然インタビュー対象者があまり考えたことがなかったことを質問することになります。だから過去を振り返ったり、何を話そうか言葉を探したりして、沈黙が流れることもあります。

その際、**無理に言葉を被せないで待つことも大切**です。

「取材をする」というと、常に質問をしているイメージを持つ人もいるかもしれませんが、そうではありません。

それどころか中盤くらいから、相槌だけになったり、私の感想を伝えたりするシーンが多いです。

「そうなんですね」

「それは驚きました」

「興味深くて夢中で聞いてしまいました」

「そのあとは……？」

「（うなずきだけ）」

こうした言葉や振る舞いで、お相手が自然と話してくれるようになると、相手が自身の思考や想いを掘り下げやすくなっているサインです。

ぜひ「会話を頑張って続けよう」ではなく「会話を掘り下げよう」と考えてみてください。それが良いアウトプットにつながる聞き方になります。

相手を動かす「リサーチ力」

調べるテーマについて「世の中の期待値」を調べる

読む・聞く以外のインプットで、大事なものがもう1つあります。
それが「調べる」です。

相手を動かし、相手により深く語っていただき、アウトプットを充実させていくための「リサーチ力」について紹介していきます。「読む」「聞く」の前に「リサーチ」をしているかどうかで、アウトプットの質が変わってきます。

尊敬するブックライターの上阪徹さんは、著書『10倍速く書ける 超スピード文章術』（ダイヤモンド社）のなかで、「読者にとって〝面白い〟素材を選ぶために、相場観を掴むことが大切だ」と述べています。

何かを伝えたり、文章を書いたりする際、つい自分目線になりがちですが、届けたい相手が何を知りたがっているか、何を期待しているのかを調べて、見極めることが大事です。

たとえば、「ＣｈａｔＧＰＴ」に関する本の要約をするとします。ＣｈａｔＧＰＴとは、チャット形式の画面に文章で質問を入力すると、人間のような答えを返してくれる対話型ＡＩです。クリエイティブな成果物を生み出すため、生成ＡＩの一種でもあります。

要約したい本の特徴や魅力を掴むことはもちろん、世の中でＣｈａｔＧＰＴに対してどんな点が話題になっているのかも調べてみます。

具体的には、世の中の反応を掴むため、

・ChatGPTがなぜ、話題になったのか
・2024年4月現在、ChatGPTに対する個人の考えや活用度合いはどうか？
（2022年11月末に発表された当時から変化はあるか？）
・生成AIに対する政府の見解・政策はどうか
・生成AIは企業でどう活用されているか・課題は何か
・生成AIを活用したプロダクトの勢力図はどのようなものか

書籍のなかでの「要約する本」の相対的な位置を掴むため、

・ChatGPTなどの生成AI全般で話題になっている本は？
・類書と比べて本書の特長は？　差別化のポイントは？

こうした観点で、世の相場観や期待値を調べてみることで、自分が面白いと思う点だけでなく、アウトプットする内容における読み手の興味があるところを抽出しやすくなります。

これは要約だけでなく、提案書や企画書を書く際、取引先や交渉相手など、何かのテーマに関するリサーチ全般で活かせます。

相場観を知るためにはニュースアプリや、動画、映画、そして漫画を読むのもおすすめです。特に漫画では、医療の現場、出版業界、芸能界、金融業界など、専門の世界に気軽にふれることができます。

相手の大事にしている活動やその背後にある価値観、目指しているもの。そのなかのどこに共鳴したのか、どの部分を読者（アウトプットを渡す先）に伝えたいと考えているのか。私は、あくまで相手の思考や関心に寄り添うような気持ちで取材項目（ラブレター）を綴るようにしています。

このように取材相手の状況をリサーチし、この取材によってお相手にどんな「良いこと」があるのかを伝えていきます。

忙しいなかで時間をとっていただくことへの感謝を胸に、ラブレターのような気持ちで依頼書をお送りする。そうすることで、「少し時間をつくろう」と思ってもらいやすくなるはずです。

第3章

メモする習慣

インプットとアウトプットを
つなげるスキル

「メモる力」は武器になる

前章では、インプットの習慣として、「話を聞く」と「情報を読む」スキルの身につけ方について紹介してきました。

この第3章では、まとめる前段階としての「メモる習慣（メモする習慣）」についてお伝えします。

まとめる・言葉にするというプロセスをスムーズに進めるために、「メモをする」段階でどんなことを意識するとよいのでしょうか。私自身が先輩方や本から教わってきたこと、失敗して身につけた経験談などを盛り込んでいきます。

これまで、メモをとることの大切さは、職場でも日々のコミュニケーションでも、多様な場面で説かれていると思います。
メモをとる効用は数え切れませんが、特に次のメリットがあるかと思います。

- **聞いた内容を正しく受け取り、蓄積しやすくなる**
- **メモにすると、その内容を他者に共有しやすくなる**
- **メモをリマインダーにできる**
- **ポイントをまとめることになるので、思考が整理され、本質を掴みやすくなる**
- **自分の考えをメモにして客観視することで、内省が深まりやすくなる**
- **メモの内容を組み合わせて、新たなアイデアが思いつきやすくなる**

なかでも、最後の2つの効用は、メモがインプットの蓄積だけでなく、アウトプットや創造の起点にもなることを示しています。

古今東西、経営者や政治家、研究者、アスリートなど、さまざまな領域で活躍している（していた）人たちには、メモをする習慣があります。

経営者の例を挙げましょう。

ピーター・ドラッカーの『経営者の条件』（ダイヤモンド社）によると、ゼネラル・モーターズで長年社長を務めていたアルフレッド・スローンは、会議の際に、部下の報告を聞いたあと、結論とやるべきことを書いたメモを一人ひとりに渡していたといいます。このことが、部下との意思疎通をしやすくし、生産性を高める秘訣だったのではないでしょうか。

また、幅広い学問に貢献したレオナルド・ダ・ヴィンチは、凄まじい「メモ魔」だったことで有名です。思考のメモや観察の記録、スケッチなど、現存しているものでも8000ページものメモを残していたそうです。

そのほか、アインシュタイン、エジソンもメモ魔で知られています。

こうした例を知ると、メモる習慣には、創造性を解き放つ力があると思わずにいられません。

スポーツの世界だと、プロ野球の大谷翔平選手は、マンダラチャートと呼ばれる「目標達成シート」によって、目標を現実のものにしてきました。

『不可能を可能にする 大谷翔平120の思考』(ぴあ)によると、大谷選手は、小学校3年生のときからノートをとる習慣があり、野球に関することはもちろん、読書のなかで心に残ったフレーズもメモしていたそうです。

このように、偉業を成し遂げた人たちのメモる習慣が、その思考やプロフェッショナルとしての姿勢に深みを与えているといえます。

「インプットメモ」と「アウトプットメモ」

これまで、メモの効用や、偉人たちのメモる習慣についてふれてきました。ここからは、「読む・聞く、まとめる、言葉にする」の一連のプロセスにおいて、具体的なメモの種類とその活かし方を紹介します。押さえてほしいのは次の2つです。

・気づきや学びなどのインプットを蓄積するメモ「インプットメモ」
・記事や企画書などアウトプットにつなげるメモ「アウトプットメモ」

このメモの「思考の流れ」についてもお話ししていきます。そして取材や1on1、商談などの対話で使える「聞いたあとメモ」について紹介します。

インプットメモとアウトプットメモ

インプットメモ

気づきや学びなどのインプットを蓄積するメモ。

純粋に「面白い」「ここが気になる」と、感情が動いた点をそのままリアルタイムに書く。

アウトプットメモ

アウトプットにつなげるメモ。

話を聞いたり、本を読んだりしたあとに、「ポイント、解釈、アウトプット」の3つに分けてメモをする。

▶アウトプットメモには
「聞いたあとメモ」もある。

キーワードや相手の熱量部分などメモするもの。
※詳しくは141ページ参照

「インプットメモ」には何を書く?

まずは、「インプットメモ」についてです。このメモには、最初は、純粋に「面白い」「ここが気になる」と、感情が動いた点をそのまま書きます。

私は、読書中の感情の起伏や気づきを、タイムリーに新鮮なまま残しておきたい派です。そこで、本自体に「おぉ〜すごい」「もっと知りたい」「なぜ?」などとコメントすることも多々あります。

次に、アウトプット時にその情報源を参照・引用できるように、本からのインプットの場合は、その書籍名や該当ページなども書いておきます。

そのうえで、「この本から何を得たいのか?」と、もっと掘り下げたい問いを書き込みます。この問いが、今後さらに関連情報を探索するときのアンテナになるのです。

よくメモは手書きで残すほうがいいのか、デジタルのツールがいいのか、という話題が出ます。

私自身は、自分にとってしっくりくるほうでいいと考えています。

肝になるのは、習慣化のしやすさ。

私はiPhoneで音声入力することも多々あります。ありがたいことに、音声入力の精度も上がってきました。Google KeepやiPhoneのメモアプリを使って、探求したいテーマや取材対象者ごとにメモを分けて、そこに思いついたキーワードや気づきなどを書き出しています。

タイトルには「何についてのトピックなのか」がわかるようにタイトルをつけます。たとえば最近のトピックだと、「気になるアート・美術館」「組織に関する本」「SF文学の主要作品」などのキーワードが多く登場するので、それが今の自分の関心なのだと気づくという副次的なメリットもあります。

この本を書くときも、「第3章 メモする習慣 聞いたあとメモ」などと、タイトルをつけて、それに関連する内容をメモしています。「あ、取材中に相手の感情に注目しているエピソードが使えそうだな」と気づいたら、まずはメモです。

最初はメモをどう分類したら見つけやすいか迷いました。ですが、デジタル情報なら、検索ができれば分類はそこまで必要ないと気づきました。そこで、あとでキーワード検索してヒットしたメモを見返す形をとっています。


こんなふうに探求したいテーマごとに「インプットメモ」を残していくと、それが自分オリジナルのナレッジの蓄積になります。

たとえば、Google Keep内で「アート」と検索すると、メモを記した時期や文脈を問わず、アートというキーワードの入ったメモがヒットするので、それぞれの「インプットメモ」の内容の共通項を見つけたり、掛け合わせたりすることができます。それが自分なりのインプットにつながると考えています。

「ポイント・解釈・アウトプット」でメモをとる

整理するための「アウトプットメモ」

次は「アウトプットメモ」についてです。

「アウトプットメモ」とは、記事や企画書、誰かに何かを話すなどの何らかのアウトプットにつなげるためのメモです。

この「アウトプットメモ」にどんなことをメモするのか。

基本的に、「ポイント・解釈・アウトプット」の3つに分けて書くのです。

具体例を通じて解説します。

ブログで『消齢化社会』（集英社インターナショナル）という本からの気づきを紹介する、という場面を考えてみましょう。

まずは、アウトプットの目的を明確にします。「この本の気づきを仕事にどう活かせるか」を、読んでいない方にも伝わるように書く、などとしてみましょう。

そのうえで「ポイント」をメモします。このアウトプットメモにおける「ポイント」は、本に書かれている重要なポイントや、内容の要点のこと。

『消齢化社会』のなかから事実（重要なポイント）を探します。

特に印象的だった次の2点をメモしました。

・（ポイント1）生活者の意識や好み、価値観について、年齢による違いが小さくなる現象を「消齢化」と呼ぶ。この現象があらゆる分野で起きている。

・（ポイント2）今後は、「年齢や与えられた属性に縛られず、もっと自由に生きてもいいんだ」と考える人が増えると予測している。

この「ポイント」から、「消齢化」が進んで、年齢や与えられた属性に縛られない人が増えていく世界だと、私のコンテンツ提供の仕事にどう影響があるのか想像してみます。すると次のような「解釈」が頭に浮かびました。

・（解釈1）商品開発やサービス開発でも、「20代女性向け」などと属性でターゲットを絞ると、刺さりにくくなるのではないだろうか？

・（解釈2）私はメディアで要約や記事を制作しているけれど、コンテンツを届けたい人の「年齢」「家族構成」「所属組織」などよりも、「価値観」に注目する必要があると考える。

人は誰しも歳をとっていきますし、いま会社員でも数年後にはフリーランスで働いているかもしれない。家族と同居かどうかも変わる可能性があります。それに対して、「知的好奇心を満たしたい」「アクティブに活動したい」といった、何を心地よいと感じるかの価値観は、数年経っても大きく変わることはあまりなさそうです。

ならば、コンテンツを特に届けたい層を考えるときは、「○○の価値観の人たちの満足度が上がるようにする」と考えたほうが、より届けたい人に届くのではないか。

こんな考えをアウトプットの趣旨にしよう、と組み立てていきます。

本からの気づきをブログに書くためのメモを次のように残していきました。

ポイント

・(ポイント1) 生活者の意識や好み、価値観について、年齢による違いが小さくなる現象を「消齢化」と呼ぶ。この現象があらゆる分野で起きている。
・(ポイント2) 今後は、「年齢や与えられた属性に縛られず、もっと自由に生きてもいいんだ」と考える人が増えると予測している。

解釈

・(解釈1) 商品開発やサービス開発でも、「20代女性向け」などと属性でターゲットを絞ると、刺さりにくくなるのではないだろうか？
・(解釈2) 私はメディアで要約や記事を制作しているが、コンテンツを届けたい人の

「年齢」「家族構成」「所属組織」よりも、「価値観」に注目する必要があると考える。

・コンテンツを特に届けたい層を考えるときは、「○○の価値観の人たちの満足度が上がるようにする」と考えたほうが届きやすいのではないか。

アウトプット

こんなふうに「アウトプットメモ」で下準備をしておくと、実際にアウトプットするときには、並び替えたり、削ったり、肉付けしたりすればよいので、気がラクになります。

本や映画、動画などから印象に残った「ポイント」を書き出すことは、比較的取り組みやすいかと思います。そのあと、自分の人生や仕事にどう関連してきそうかを考えてみると、「解釈」が書きやすくなります。

今回はブログを書くという例を挙げましたが、講演や研修の報告書をまとめる、企画書に調査の骨子を書く、など色々な場面で使えます。

「アウトプットメモ」を試してみてください。

良いメモをとるためにどう掘り下げる？

ここからは、メモの種類を問わず、気づきや感想、意見などをメモするときに、どう掘り下げていったらいいかをお伝えします。

メモをとる最中には、どんなことが頭の中に浮かんでいるでしょうか。心の赴くままにメモをとって、あとで清書するのもありです。ただ、単に「面白かった」「驚いた」と感想を述べるだけで、気づきの内容を深められずに終わってしまうケースもあると思います。私は、「メモの切り口がワンパターンかも？」「もっとメモの内容を深められたらいいのに」と思うことがよくありました。

そこで、メモの内容を掘り下げるのに役立つ問いを紹介します。

掘り下げるのに役立つ問いとは何か。

それは、**「Why」と「How」を使う**ことです。

たとえば、こんな問いを投げかけてみましょう。

- **なぜ自分はそんなふうに感じたのか？**
- **〇〇に対する感情は、どんな価値観からきているのか？**
- **この気づきや発見がある「前」と「後」で具体的に自分はどう変わったか？**
- **この気づきは今後自分の考えや人生にどんな影響を与えそうか？**
- **どこに違和感を抱いたのか？**

など。特に1つ目の「なぜ自分はそう感じたのか？」という、「原因」を探る問いは比較的自問しやすいものです。

トヨタは、問題の根本原因を突き止めるために、問題となっている事象に対して「なぜ？」を5回くり返す「5Why分析」を行っていることで有名です。

自分の気づきや感情に対して、「なぜ」を何度も投げかけると、自分なりの解釈や持論を導き出しやすくなります。

たとえば、「このメモをしたのはなぜ？」→「○○だったから」→「そう思ったのはなぜ？」……など、くり返し問いかけることで、自分の心の底にある想いや感じたことが浮かび上がってきます。

掘り下げる際のポイントは、経験したことに対して「感情が動いた瞬間」を見逃さないことです。「この考え方は斬新！」「こういう伝え方は心がザワザワする！」「このカフェはすごく居心地がいいな」。こんなふうに感じたら、自分に取材してみましょう。

いかがでしたか。メモをとる手が止まったとき、もっとメモの内容を掘り下げたいときに活用してみてください。あとの工程であるアウトプットをさらに磨くうえでも有効です。

「聞いたあとメモ」

良いインプットを脳に残す方法

これから紹介するのは、聞いた内容のポイントをアウトプットしやすいように書き出す「聞いたあとメモ」です。

「聞いたあとメモ」とは、聞いたことのキーワードを書き出しておいたり、相手が熱量を持って語ったところなど「感情」の強さもメモしたりするものです。

このメモは、取材中と取材後の2つのプロセスがあるので、順に解説します。

あくまで私個人の例なので、目指すアウトプットに応じてやりやすい形にアレンジしていただければ嬉しいです。

前提として、相手の話の重要なポイントを短く、箇条書きにします。できれば、話している最中に大事なところはメモしておきましょう。日常的な会話や仕事中などは、難しいこともあると思いますが、今日からメモ魔になると思ってやってみると、案外メモの習慣というのは難しくありません。

私も、取材中はもちろん、オフィスワークの際も、現場で感じた相手の熱意あること、書き起こしがしにくい固有名詞や数字は、その場でできるだけメモするようにしています。

手書きの際は殴り書きに近いので、あとで解読が難しいことも多々ありますが、それでもかまいません。特に取材中は、録音もしているので、「この箇所の録音を集中的に聞こう」とあとで振り返れます。

もし仮に、メモをとることができない場合も、相手の話を聞き終わったあと、メモするようにしましょう。

「大丈夫、覚えているから」

なんて思うかもしれませんが、人は熱しやすく、冷めやすいもの。人は忘れる生き物なんて言ったりしますよね。

その場ではしっかり覚えていても、時間が経過するにつれ、大事なところ、自分が感動したところ、忘れてはいけないことが記憶から抜けて落ちてしまうものです。

良いインプットであっても、忘れてしまっては元も子もありません。

まずは、相手の話の大事なポイントをメモすること。

その際、事実・解釈を分けてメモをしましょう。客観情報と主観が混ざらないようにするのです。

相手が伝えたことと、自分が感じたことを、キーワードだけでもいいので、書き残しておくのです。キーワードだけでは忘れてしまう人は、話のあとに少し長めにメモしたり、メモアプリに具体的に残したりしておきましょう。

私は自分の感想や仮説、推測は「→」といった矢印をつけて書くなど、相手の話したことと区別しやすいようにしています。

ポイントは、聞いている最中や直後に、相手が熱量を持って語ったところなど、「感情」の強さもメモしておくことです。私は★のマークが好きなので、★の数が多ければ多いほど、「ここは熱が入っている」「ここは大事」という印になるわけです。また、あとで詳しく調べたいところや音声を聞き返したいところにも、印をつけておきます。

こうしてキーワードや記号だけでも残しておくと、アウトプットする際に、何に焦点を当てたらいいかがすぐにわかります。もっと言うと、書いたことをフックに、自分の思考や感性を広げて掘り下げやすくなるのです。

話を聞き終わったら何をメモる？

話を聞いたあとは、仮説として書き留めていた「シミュレーションメモ」をブラッシュアップしていきます。アウトプット形態が記事なら、仮のタイトルや見出し案をつくることで、記事を書くときの指針になります。一例として、株式会社Ｗａｒｉｓ共同代表・田中美和さんにインタビューした際の構成案（聞いたあとメモ）を紹介します。

Waris 共同代表・田中美和さんインタビュー構成案の例

目指すもの：田中さんの著書の魅力やご自身・Waris さんのビジョンが記事からにじみ出る

●執筆動機

　▷キャリアの悩みは変化してきた？ 強みを知るには？

●「自分らしく」を掘り下げるには？

　▷自分を知ることが大事。２つの自己分析（主観・客観）

　▷越境体験も大切

　　◇ご自身の会社員時代の経験からの気づき⇒普段気づけない言語化の強みに気づけた★★

　　⇒ホームでは自分の強みに気づけなかったので外に出てみてよかった、という語りに思い入れがありそう（主観）

　　◇社内の活動でも越境体験になる

●今後求められる人材とは？

　▷学び続ける意欲があるか、実行できるか

　▷リスキリングのテーマ選びの３つのポイント

　　◇ AI の活用に対する向き合い方⇒ AI に代替されるのでは？という不安の払しょくにつながる内容

●田中さんの人生・価値観に影響を与えた本とは？

　　◇『ワーク・シフト』

　　◇ Waris 創業時のあと押しになった（＝現在への影響）★★

●今後のビジョンとは？

はじめは聞いたこと、頭の中にあることを、具体性レベル（粒度）や論理関係などあまり細かく気にせずに書き出します。

「このくだりが熱かった！」「この言葉はとっても刺さる。ぜひ読者に届けたい！」などと感じたら、それを目立つように書き出すだけでかまいません。

このとき、さらに知りたくなったキーワードや、相手に教わったことをメモしておきます。その情報にあとでふれて次なるインプットにつなげるためです。

そうしていくと、アウトプットの際に、本でいうところの目次と見出しができているので、その骨格を意識して書きやすくなります。すると、あれもこれも面白いから書こうというのではなく、「主題にどれだけ関連するか？」「骨格につながるかどうか？」の観点で、アウトプットする内容の絞り込みがしやすくなります。

こんなふうに、「聞いたあとメモ」を残していくことで、「読む・聞く、まとめる、言葉にする」の一連のプロセスを回しやすくなります。

「話を覚えている」というだけで、相手は心を開いてくれる

インプットの大切さ、メモの大切さをこれまで書いてきました。

相手から話を聞いたとき、おすすめの方法がもう1つあります。

それが**「相手の話のポイントと細部を覚えておく」**ことです。

これは自分のアウトプットを良くするというよりも、相手との関係性を継続的に良くするための考え方。

取材をしていると、稀(まれ)に同じ方を複数回取材する機会があります。そのときに大事なのは、「相手の話を覚えているか」。これだけで相手の印象は大きく変わります。

取材で心がけているのは、「同じ質問を何度もしない」ということ。もちろん、同

じ質問をしたとしても「あれ、前に話したよね」とおっしゃる方はあまりいませんが、きっと気づくはずです。

だからこそ、相手の人が大事にしていること、その日話したことのポイントを覚えていると、相手の方は、

「お！　覚えていてくれたんだ」

「そういえば、あのときそんな話をしたねえ。よく覚えてるな」

と驚いてくれます。驚くだけでなく、自分の話をしっかり覚えていてくれたと、好感を持ってもらえます。

そして、サラッと「この間、〇〇と話されていましたよね」と会話中にふれることも大事です。その話題を話したことを相手自身が忘れている可能性もあるからです。

「覚えておいて、2回目に話すときに少し話題にする」

これを意識しておくと、会話する相手に喜んでもらえて、関係性も良くなります。2回目の会話では、より話が弾み、相手の想いを引き出せるようになるはずです。

「箇条書き＋あと整理」で気軽に書ける

ここからは、アウトプットしやすい形にメモするためのポイントを紹介します。

それは**箇条書きでメモする**こと。

たとえば、「私たちの価値観を変えるテクノロジーの変化とは？」というテーマでスピーチを考えないといけないとします。

そういった際、次のように思いつくままに箇条書きでメモをしていきます。

・私たちの価値観を変えるテクノロジーの変化とは？（＝主題・問い）
・そもそも「価値観を変える」とは？
・「価値観」にインパクトを与えそうなテクノロジーは生成ＡＩではないか（＝仮説Ａ）

・生成ＡＩがホワイトカラーのタスクの多くを担ってくれるから（＝Ａの根拠）
・テクノロジーの変化の具体例とは？
・具体例①：２０２２年11月頃から話題になったＣｈａｔＧＰＴは何がすごいのか（＝現象）
・具体例②：メタバースは何がすごいのか
・具体例③：ブロックチェーン技術は何がすごいのか

そして、箇条書きにしたメモを、関連度の近いもの同士に並べていきます。関連度は次のような観点で考えることが多いです（あくまで例として）。

・**テーマの類似性**
・**因果関係**
・**変化**（**時系列**）
・**結論と根拠**
・**主張**（**抽象**）**と具体例**

同時に、箇条書きで並列させる内容の具体性レベル（粒度）や形式でそろえると、わかりやすくなる、と教わりました。形式については、「主語と述語のそろった文」「体言止め」で統一されているか、書き出したあとに確認するようにしています。

また具体性レベルについては、たとえば、具体性レベル（粒度）が「一般名詞を列挙しているのに同じ階層に固有名詞が入っていないか」といった点を確認し、そろえていきます。

そのあと、先ほどのお題「私たちの価値観を変えるテクノロジーの変化とは？」について、箇条書きの「あと整理」をしていきます。

このお題について書く際の重みづけをした結果、「具体例③：ブロックチェーン技術までふれていると、文章が長すぎて、仮説Aの内容が伝わりにくくなるかもしれない」と判断したら、具体例③は捨てます。これが取捨選択です。

そして、聴衆が理解しやすいように、箇条書きの並び替えをしていきます。

▼〈スピーチの構成案例〉

・私たちの価値観を変えるテクノロジーの変化とは？
・「価値観を変える」とは？（＝定義）
・テクノロジーの変化の具体例とは？
・具体例①ＣｈａｔＧＰＴ（生成ＡＩ）
・具体例②メタバース
・「価値観」にインパクトを与えそうなテクノロジーは生成ＡＩ？（＝仮説Ａ）
・生成ＡＩがタスクの多くを担ってくれるから（＝Ａの根拠）

これが「箇条書き＋あと整理」の大まかな流れです。

「あと整理」の取捨選択のポイントは、思い切って「捨てる」ことです。

つい「どの内容も面白いから残しておきたい」と思いがちですが、アウトプットの目的に応じて、必要な素材をできるだけ絞り込むようにしましょう。

アレもコレもでは伝わりません。

伝えるなら、シンプル、1メッセージが基本です。

必要なものに絞り込むことで、内容の骨子がわかりやすくなるだけでなく、より良い成果が生まれます。これは「引き算の美学」といえるもの。

プロダクト開発の例として、アップルのiPhoneがあります。iPhoneは、色々なボタンを削り、「ホームボタン1つであらゆる操作ができる」ことを目指したことで、シンプルなiPhoneという世界観を生み出すことに成功しました。


箇条書きの取捨選択をする際も、「大事なものは何か。それ以外は捨てる・絞り込む」と意識するだけで、伝わるアウトプットになります。

付箋で順番を入れ替える「こざね法」

メモをもとに構成案を考えるおすすめの方法が、「付箋を使って考える」です。

付箋を用意し、付箋1枚に対して1つのキーワードを書くと、並び替えや入れ替えがしやすく、「何をどの順番で伝えるか」という構成を練りやすくなります。

企画書や提案書をつくるときも同じ手法が使えます。

このような、「箇条書き」＋「あと整理（取捨選択・並び替え）」をしてアウトプットにつなげるという考え方は、知的生産の名著『知的生産の技術』（岩波書店）から、インスピレーションを受けています。

1960年代に書かれた本ですが、知的生産技術の時代による変化（のちのインターネットやスマートフォンの登場など）を見越して、それでも普遍的に使える「知的生産」の本質を突いた本です。

この本で紹介される「こざね法」は、カードに一項目ずつ書き留めた断片的な素材を使って、まとまりのある考えや文章を構成する技法です。

この方法は、文章構成や話す順番を考える際にも役立ちます。

小さい紙やカード、もしくは付箋を用意し、次の6つのステップで簡単に実践できます。

▼構成に役立つ「こざね法」

①頭の中にある素材をカード（付箋）1枚に1項目ずつ書き出して、机の上に並べる
②つながりがありそうなカード（付箋）を一緒に並べる
③論理的に筋が通りそうな順序に並べて、ホッチキスで留める（＝「こざね」のこと）
④このいくつかの関連した「こざね」をまとめていき、見出しとなる紙をつける
⑤まとまりが複数できたら、並び替えていく
⑥書くときは、この並び替えた順に書いていく

「断片的な素材をつくって、つながりがあるものを並び替える」というプロセスは、まさにインプットする→メモる→アウトプットする、の要になると考えています。

「思いついたまま言葉にする」「考えた順番で言葉にする」では、相手にわかりやすく伝わるものにはなりません。面白く伝えたいという場合も同様です。

箇条書きにして、整理する。これだけで、より良いまとめ方、言語化ができるようになりますので、試しにやってみてくださいね。

いかがでしたか？

次の第4章は、「まとめる、言葉にする」というアウトプットの工程です。「読む・聞く、まとめる、言葉にする」のプロセスのなかでも、この「まとめる、言葉にする」の段階がとても重要です。

これまで、インプットやメモを通じて積み重ねてきたことを、いよいよ形にする段階。とはいえ、気負いすぎる必要はありません。

大事なのは、用意してきた素材をどう取捨選択し、並び替えて、伝えていくか。「ゼロイチで生み出すわけじゃないんだ」と思うと、少し気がラクになりませんか。リラックスして、楽しみながら進めていけたらいいなと思います。

第4章では、これまでメモしてきたことをもとに「まとめる」工程において、

・ポイントをいかに絞り込んでいくか（＝「制限」を活かすことの重要性）
・まとめ方をどう決めていくか
・「伝わる論理」をどのように組み立てていくか

といったことをお話ししながら、本質を抽出するときにどんなことを意識しているかを紹介していきたいと思います。

第4章

まとめる習慣

「思考」と「情報」を整理するスキル

まとめる力は、「制限」で磨かれる

突然ですが、上司からこんなお題を出されたらどうしますか。

「新規事業の企画を考えてほしい。解決したい課題も、売上規模も自由でいいから」

私なら、「えっ、何から考えたらいいのだろう?」と途方に暮れてしまうでしょう。「新規事業の目的」「この事業で解決したい課題」「課題を持つ人たちの属性」「ローンチの希望時期」などと、各項目を洗い出してヒアリングしなくてはいけない、と取材モードに入りそうです。

ですが、「その項目も自分で考えてほしい」と言われたらどうか。

「自由に考えて、自由に書いて」と言われても、それは相当な構想力がいりますし、かなりの負荷になるので、悩んでしまいそうです。

ポイントをまとめて、何かしらのアウトプットを生むうえでは、「制限」（制約）が重要になります。

先ほどの新規事業の例は極端でしたが、文章を書いたり話す内容を考えたりするときも、「制限」は重要な存在です。アウトプットの目的、テーマ、字数など、「制限」があるから「まとめ」の質が上がります。

企画書を書くときも、何十ページにも及んだ大作だと、それを読んで判断する人たちが企画の骨子を理解するのが大変になってしまいますよね。

ここで「A4のドキュメント1枚」「スライド1枚」などと「制限」があることで、ポイントが研ぎ澄まされやすくなります。

flierの要約においても、基本的に1冊4000字から4500字程度でまとめます。さらに細かくいうと、flierの要約は次のフォーマットから成り立っています。

「おすすめポイント（書評部分）」
「本書の要点」
「要約本文（大見出し・小見出し・本文）」
「一読のすすめ」

です。これは、1冊10分の要約で本のポイントと魅力が伝わり、さらに「本を買って読もう」とユーザーの方々に思っていただくために、ユーザー体験を考え抜いてできていった一種の型だと捉えています。

このように、字数とフォーマット（型）の制限があることで、要約を書く人（ライター や編集者）と、読む人（ユーザー）の双方にメリットがあります。

書く人からすると、要約を書くたびに「どうやって、どれくらいの分量にまとめよう?」と悩む必要はなくなります。まずはこの型で収まるように、本書のポイントを掴み、抽出し、わかりやすい文章にしていこう、と方針を立てられるのです。

一方、読む人も、要約のフォーマットを先に知ることで、それが効率的に書かれた内容を理解する助けとなります。

ですので、本書をお読みのあなたが、ブログやnote、そのほかＳＮＳなどで文章を書こうと思ったときは、テーマなどに、できるだけ制限をかけてください。

「自由に書いていい」というのは、ある意味言語化をできなくさせる要因なのです。

言語化するときは、制限をかけよう

おすすめの制限は、

- **文字数**
- **書く時間**

このどちらかを決めると、それぞれ良いことがあります。

まず文字数で制限をかけると、記事の内容、構成を大筋決める必要が出てきます。

最初は４００字、１０００字、２０００字という制限をかけたとしても、どのくらいの分量なのかわかりにくいかもしれません。でも、慣れてくると、「2000字だったら、このくらいの文章量だな」ということが肌感覚としてわかってきます。

また、時間で制限をかけると、「執筆の時間」にかける分量が掴めるようになります。

たとえば、ブログであれば、毎日20分で1記事書く、と決めたとします。

最初は1つの記事を書くのに30分、場合によっては1時間かかるかもしれませんが、こういった時間制限なく書いていくと、多くの場合書き続けるのが難しくなります。

なぜなら、**文章やアウトプットには正解がない**からです。

良い内容にしようと思えば、いくらでも直しようがありますし、現状に納得できなくなります。

でも「20分以内にブログを終える」と決めるとどうでしょう。時間がきたら、納得しているかどうかにかかわらず、それを完成とするのです。

もちろん、最初は「こんな内容で良いのかな」「もっと良い記事にできたよな」と思うかもしれません。ですが、こうやって時間を区切ることで完成の終わりが見えるので、継続してブログやnoteなどの記事を書きやすくなるのです。

「カプセルトイ」が教えてくれたこと

実は、制限や制約にはもっと面白い効果があります。

それは**制約によってアイデアが花開く**ことです。

それを教わったのは、おもちゃクリエーター、アイデア発想ファシリテーターとして活躍する高橋晋平さんの取材です。

高橋さんは「∞プチプチ」をはじめとするヒット商品を数多く世に送り出してきた方です。会議をアイデアが出やすい場にするためのファシリテーションについてアドバイスをお聞きしました。

すると、ポイントの1つは、「ちょうどよい制約条件のお題を設定すること」。それができれば、勝手にアイデアが集まってくるのだそうです。

好例は、カプセルトイのお題です。

カプセルトイ（いわゆるガチャガチャ）とは自販機で売られる商品のこと。このカプセルトイにおけるアイデアの制約条件は次の3つです。

・カプセルに入るサイズ
・数百円の値段に収まるもの
・ひとりのお客さんが何度も回したくなるラインナップ

何かアイデアを出すときも、この条件なら、値段とサイズをイメージしてラインナップを考えるだけ。ですので、一から色々前提条件を考えるよりも、ラクに商品のアイデアを思いつくことができます。

まさに「アイデア無限増殖機」です。

アイデアを出しやすくし、アイデアの「量」を一定以上確保することは、アイデアの質を上げることにつながります。実際、面白いアイデアは、色々なアイデアの思いがけない組み合わせから生まれることがしばしば。そのため、まずはアイデアの数を増やして、選択肢を多様にすることが大事になります。

仕事でもプライベートでも、何か課題の解決策を考えたり、アイデアを練ったりするシーンは多々あります。そのときは、「ちょうどよい制約条件」を探してみるようにしましょう。

この制限をかけるという思考の習慣は、「まとめる」だけでなく、行動もしやすくなるメリットがあります。

たとえば「家全体の掃除をしよう」と思うとどこから手をつけたらいいかわかりませんよね。「どこからやってもいい」だと行動に移しにくいのです。

こんなとき「今日は「洗面台だけ（＝場所を絞る）」「5分間だけ（＝時間を絞る）」掃除をしてみよう、などと制約を設けてみると、取り組みやすくなりますよね。

このように、「ちょうどよい制約条件」を行動に組み入れていくことで、アイデアを出しやすくなったり、アウトプットの質や効率を高めたりできるのです。

書いて、減らして、まとめる

まとめるのが苦手な人のための「分ける習慣」

話や文章をまとめるのが苦手な人におすすめの方法をご紹介します。
具体的かつ論理的にまとめる方法はこのあとご紹介しますが、その前におすすめの習慣があります。

それは「言いたいこと・伝えたいことをまず書き出してみる」ということ。別の言い方をすれば、いきなりまとめないで、「書く」と「まとめる」を分けて考えるのです。

書きながらまとめる。話しながら言いたいことをまとめる。聞きながら文章にまとめる……。これらはどれも、同時に進めようとするとハードルが高いことです。プロであってもレベルの高い作業であり、上手にまとめられないと感じるのも無理はありません。

このような場合は、「書く」と「まとめる」を分けて考えるのです。

話を聞いたり、本や文章を読んだりしたあと、自分一人になったとき、いったん頭に浮かんだことをすべて書き出してみましょう。

まずは言いたいことを**まとめようと思わずに書く**。書ききったら、そこから大事だなと思う要素を抜き出し、文章を削っていきましょう。

「書いて、減らして、まとめる」

そうすることで、それぞれのプロセスに集中できて、「まとめる」が上手になります。

文章でも、話すアウトプットでも、言語化するのが難しく感じるときは、こういった習慣を持っていると、まとめるのが上達していきますよ。

「目的」と「説明方法」でまとめ方を決める

アウトプットの目的を整理すると、まとめる力が身につく

ここからは、より具体的な「まとめ方」について紹介していきます。

人に何らかのテーマのポイントを伝えたいとき、文章のほかにも、図解やイラスト、インフォグラフィック（情報を視覚的に表現する画像）、写真、漫画、動画など、色々な方法があります。これらの特性を知り、伝える目的に応じた最適な方法を選び、組み合わせることを私は意識しています。

ポイントは、「情報の受け手と伝える目的に合ったまとめ方」を選ぶことです。

伝える目的とともに具体的に確認しておきたいのは、次のような項目です。

①発信する媒体は何か
②情報の受け手は誰か
③受け手はどんな目的と期待を持っているか

▼①発信する媒体は何か

「まとめて、言葉にする」ということは媒体があります。話すのか、文字にするのか、文字にするなら書類なのか、SNSなのか……などです。

たとえば「旅行の感想」を伝える目的でも、発信する媒体がInstagramなら、旅先の風景や食事の写真を中心にして文字情報はあくまで補足にする、といったことです。

▼②情報の受け手は誰か

あるイベントの概要を地域の人たちに共有するシーンを例に考えてみましょう。

事前に「地域の住民に70代以上の方が多い」という情報を得たとします。すると「メールやLINEで共有するだけだと、メールやアプリに慣れていない人もいるから、紙の回覧板も併用したほうが良いかも」「小さい文字だと読みにくい人もいるかもしれない。イベントの概要はできるだけ大きな文字で書こう」などと、受け手により届きやすい伝え方を考えてみます。

▼③受け手はどんな目的と期待を持っているか

たとえば、上司から新しい営業代行会社の候補について、資料をまとめるよう指示されたとしましょう。その資料に期待することは何なのか、どういう用途で使うのかを、上司にヒアリングします。

もし上司が選定する際の判断材料がほしいだけならば、各社の特徴や実績をビジュアルのリッチなパワーポイントなどにする必要はなく、各社のメリットとデメリットが明快に比較できる体裁にすればよいでしょう。

そうではなく、上司が経営層にプレゼンするための資料を求めているならどうか。経営層にも伝えるべき前提情報（例：なぜ新しい営業代行会社の開拓が必要か）を補足するなど、上司がプレゼンしやすい順序・経営層の納得感につながる見せ方を考える必要があるでしょう。

このように、「媒体」「受け手」「（受け手の）目的と期待」を事前にできるだけ想像し、リサーチしておくと、まとめるのに最適な方法や伝え方の軸ができます。途中で「この資料はいるかな？　この伝え方でいいかな？」と迷うことが減るはずです。

「自分の得意な説明の仕方」を把握する

まとめ方を決める際に、もう1つ大事なのが「自分の得意な説明の仕方」を理解しておくことです。

物事を整理して説明するといった「アウトプットの仕方」には得意・不得意があると考えています。私自身は、「文章で説明するのが得意」なタイプと、「図やイラストなどのビジュアルで説明するのが得意」なタイプの2種類があると捉えています。

何かをまとめる際には、自分が「文章で説明する」のと「図で説明する」のと、どちらが得意なのかを知っておき、そこからスタートするとよいでしょう。

おそらく、文字にするほうが情報を整理しやすい、絵や図のほうが表現しやすい、など人によって差があるはずです。もし文字で説明するほうが得意なら、まずは文字でまとめていきましょう。

そのあと、資料や記事などのアウトプットについて、「3割くらいの出来」の「たたき台」段階で、周囲の人に見せて、「ここが伝わりにくい」などと意見をもらいます。理解が食い違っている箇所があれば、「今度は図にしてみようか」などと、説明の仕方を変えてみるのです。

私の場合は、アウトプットの目的や読み手の期待に立ち返ってみて、「ここは図解のほうがシンプルに伝わるかも？」と気づいたり、フィードバックをもらったりしたときは、部分的に図で表すようにしています。図やイラストでの説明を知るのに役立った本は、巻末の参考文献リストに掲載しています。

伝わる図にする５つのフレーム

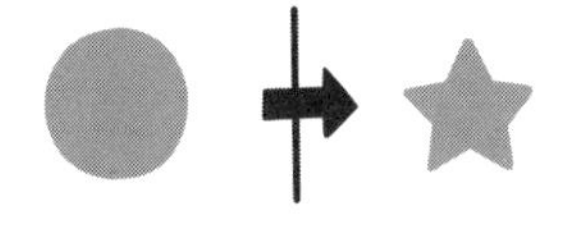

①Before、After

変化の前後関係を比較
してみせると、変化の様子が
わかりやすくなる。

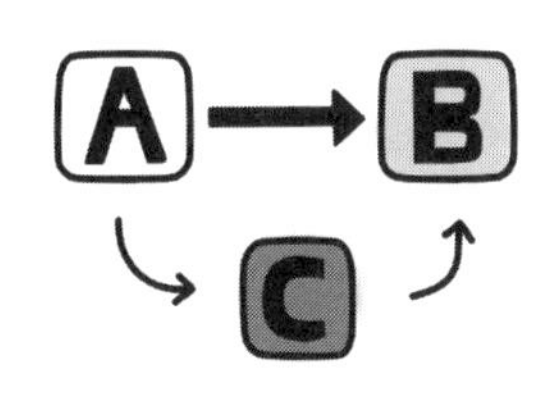

②因果関係

原因と結果、主張と根拠など
言葉だけでなく矢印で流れ
を見せるとわかりやすくなる。

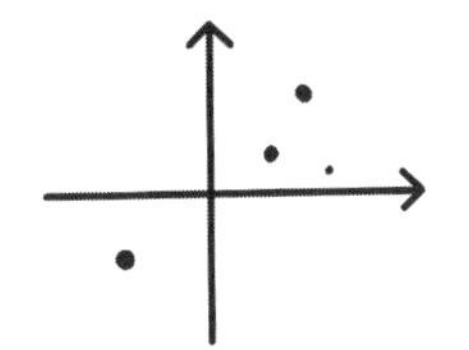

③マトリックス分布

縦軸、横軸を決めて
対象をマトリックス上に
分布すると、位置関係や
関係性の差がわかりやすくなる。

④時系列

時系列があるものや、ステップ
の流れがあるものは、矢印と
並べ方の工夫でわかりやすくなる。

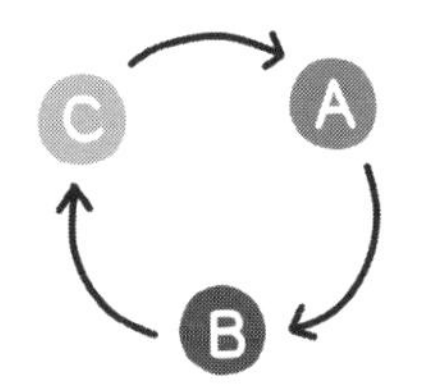

⑤サイクル

PDCAなど、循環しているものは、
サイクルの図にするとわかりやすくなる。

「伝わる論理」を組み立てる3ステップ

ここからは、まとめるときの「伝わる論理」をどう組み立てていくかについて3つのステップで紹介していきます。

①伝わる順序をつくる～「結論」を核にして論理を展開する～
②論理関係を明確化する～箇条書き同士を接続詞で結ぶ～
③納得感や共感を生む「流れ」になっているかを確認する

それぞれのステップについて順に説明していきます。

ステップ①伝わる順序をつくる
～「結論」を核にして論理を展開する～

伝えたいことがたくさんあるときはどう優先度をつければいいのか。

大事なのは絞ることと、伝える順番です。

ビジネス文書やSNS投稿でも、わかりやすい伝え方の順番の基本。

それは「結論から伝える」ことです。

ですから、結論を考えましょう。そのための究極の問いがあります。それが、

「伝えたいこと100個のうち1個に絞るなら？」


です。これを自分に問うことで、結論が導き出せます。

要するに、「この話の肝って一言で何？」と考えてみるのです。

これを普段から意識し、思考の習慣にしておくと、話の要点、議論の論点などがすぐにわかったり、言語化できたりするようになります。

私自身も、普段からニュースにふれたり、人の話を聞いたりしたときに、「要するに何？」「ポイントを一言で言うと？」と、頭の中でイメージするようにしています。

「一言で言うと何？」のほかにも役立つ問いを挙げてみます。

- **だから何？**（本質に迫る問い）
- **なぜ、そう思うの？**（根拠を見出す問い）
- **AとBとCの事象を抽象化すると何が言えそうか？**（抽象化の問い）
- **AとBの違いは？**（差分の問い）
- **AとBで変化があるが、その転換点は？**（思考や行動などの変化のきっかけの問い）

とはいえ、まとめるたびに一から「伝わる順番」を考え出すのは大変ですよね。

そこで参考にしたいのが、『頭のいい人は「短く」伝える』（大和書房）で紹介されていた「4行構成」の型のうち、「問題提起・意見提示・展開（根拠）・結論」という型です。

これは、小論文でも、会社や家庭での意見提示でも、簡潔に自分なりの意見を伝えたいときに役立ちます。

先に何についてのトピックなのか、方向性を提起をすると、聞き手や読み手も何について述べられるのか、心構えができます。たとえば、次のような具合です。

問題提起：春の旅行をするならどこがいいか？
意見提示：自然の中でゆっくりするのが良いと考える
展開（根拠）：なぜならちょうど色んな花が見頃であり、花を見に行きたいと思っていたから
結論：花がたくさん咲いている◯◯公園でゆったり過ごそう

そのほか、私が普段意識している「伝わる型」を３つ紹介します。

- **パターン１：結論→理由→結論**
- **パターン２：提起→前提→意見**
- **パターン３：理想→課題（現状）→解決策**

▼パターン1：結論→理由→結論

伝えたいこととその理由・根拠を添えたあとに、再び伝えたいことを述べる型です。シンプルに主張を伝えるのに役立ちます。

（例）

→結論「4月の社内報では新入社員を紹介しよう」

→理由「新入社員のことを社内の人に知ってもらって新入社員に馴染んでもらうため」

→結論「4月の社内報では新入社員を紹介しよう」

▼パターン2：提起→前提→意見

意見を述べる前に、提起と前提を伝えて説得力を高める型です。

相手があるトピックについて認知していない、課題意識を持っていないという場合、「前提（なぜその意見に至ったのかという背後にある事実）」を添えてみます。

（例）

↓提起「見込み顧客へのメール配信の頻度を見直すことが必要ではないか」

↓前提「見込み顧客にメールマガジンを送るのに1通○円がかかっている」

↓意見「まずは配信の費用対効果を測定したい」

▼パターン3：理想↓課題（現状）↓解決策

まずは「目指すもの」や理想を相手にイメージしてもらい、現状とのギャップに気づいてもらうための型です。プレゼンテーションなどで聴衆の間に前向きな空気をつくりたいときに有効です。理想に向けて解決すべき課題を伝えたあとに、ソリューションを提示すると、納得感を持ってもらいやすくなります。

（例）

↓理想「多様な企画を考えて、具体化できるチームになりたい」

↓課題（現状）「どのメンバーも目の前のタスクに追われて企画の時間がとれない」

↓解決策「タスクを可視化して、重要度の低いタスクを洗い出して削減しよう」

ステップ②論理関係を明確化する
～箇条書き同士を接続詞で結ぶ～

ステップ①で、「伝えたいこと100個のうち1個に絞るなら？」と問いを投げかけました。

「これだけは言いたい」の1％を伝えることに焦点を当てると、実際には、伝えたいこととそれを補強する内容が必要になるので、伝えたいことの10～30％くらいに絞り込めるのではないかと思います。

次のステップでは、絞ったもの同士の論理関係を明確にしていきます。

わかりやすくいえば、メモの箇条書きをつなげていくのです。

論理関係を明らかにするときに出番となるのが「接続詞」です。

たとえば、「結論→理由→具体例」と表すときは次のようになります。

〇〇はAである（＝結論）。

なぜならBだからだ（＝理由）。

たとえば、Cが挙げられる（＝具体例）。

このように重要なセンテンスの箇条書きを「なぜなら」「たとえば」といった接続詞で結んでいきます。

特にXとYを対比するときの「一方」や、これまでの流れを打ち消す「しかし」のような逆接の接続詞は、論理展開の転換点を指すため、しっかりと明示することが大切です。

これに対し、「そして」「それで」といった順接の接続詞は、なくても伝わるケースが多いため、頻繁に使っていないか確認するとよいでしょう。

ステップ③納得感や共感を生む「流れ」になっているかを確認する

まとめた内容がどんなに正論であっても、届けたい相手に「これは私に関係ないな」と思われると挽回が難しいものです。

相手の納得感や共感を生むには、相手の置かれた状況や大切にしている価値観、相手から見える景色を想像することが大事になってきます。

ここで考えたいのが、納得感や共感の前段階にある「わかる」とは、そもそもどんな状態なのか。相手が納得するためには、そのアウトプットの中身について、相手が「わかる」「理解した」と感じる必要があります。

『「分かりやすい説明」の技術』（講談社）によると、「わかる」とは、情報が脳内の関所で仕分けられてから、脳内にある整理棚のある区画に格納されることだそうです。この脳内関所とは、情報を吟味していく一時的な作業場のようなもの。

「わかりやすく」説明するとは、聞き手の脳内で行われる作業を事前に代わりに処理して、情報を仕分けする負担を軽くすることだといえます。

文章でも図解でも、「相手の脳内での負担を軽くできる流れかどうか？」と自問するだけで、聞き手の納得感を生みやすくなるはずです。

これまでに著者や編集者、同僚との会話、取材、読書を通じて学んできた、納得感と共感を生むための3つのポイントをご紹介します。

▼①「効用」(メリット)を打ち出す

「まとめて、言葉にする」ときに、一度意識したいのが、メリットです。

このアウトプットにふれるとどんな良いことがあるかを明示する。届けたい相手の関心や課題意識を知り、それに対する効用・ご利益を言葉にしておきます。

「こんな学びが得られる」

「仕事の生産性アップにつながる」

「メンタルヘルスの問題の予防になる」

などと、具体的にイメージできるように伝えられるとよいですね。

▼②信頼性を高める

言葉というのは、誰でも自由に扱えます。

相手を勇気づける言葉もあれば、相手を傷つける言葉もある。真実も書ければ、嘘も書ける。フェイクニュースが増えている現在、人に何かを伝えるときは、信頼性が高い情報を発信することがますます大事になっています。

だからこそ、言葉にするときには信頼性を高めることを意識しましょう。

具体的には、意見を書く際に、その根拠をできるだけ明示します。

自分の経験がベースなのか、どんな本・資料がもとになっているのか出典を示すことで、その内容の信ぴょう性・信頼性が高まります。

また、発信者である自分は何者なのか、どういう考えからこのアウトプットをしているのかを簡単に添えると、そこに興味や応援の気持ちを抱く人が出てきます。

▼③親近感を高める

最後に意識するポイントは「親近感」を感じてもらえるか、です。

アウトプットが相手にとって「自分ごと」になり、面白そうだなと思える内容であれば、納得と共感への扉が開かれます。

相手にとっての旬のトピックや、身近で切実なテーマとの関連性を見つけて伝えるのも有効です。

また、ユーモアは人の「感情」に働きかけるので、笑える話や意外な事実をしのばせるのもおすすめです。特に幅広い方を対象にしたアウトプットの場合は、受け手みんなの「共感」を生むことは難しいと受け入れることも必要になります。

そんなときは、「共感はできないけれど理解はできる」「納得の入り口に立てている」というアウトプットができれば御の字。そう思うことで、肩の力を抜いて伝えたいメッセージを発信できると思うのです。

①〜③に加えて、何より発信する本人の熱量は、人を大きく動かします。

「この人、このテーマについて語るのが好きなんだな」

「この人はこんなに真剣にこのテーマと向き合ってきたのか」

といったことが伝わると、人はそれまで関心のなかったテーマにもふれてみよう、と心を動かされるのではないかと思います。

「まとめを伝えて、伝わるか？」を考える

「観客」をイメージすると、アウトプットの質が上がる

何かを言葉にして伝えるときは、「相手の立場に立つことが大事」とよく言われます。自分が伝えたいことを、面白いと思う視点だけで言葉にするのではなく、「第三者の視点」を大事にしましょう。

『Amazon創業者ジェフ・ベゾスのお金を生み出す伝え方』（文響社）によると、創業初期のAmazonには「会議では空席のイスを設ける」というルールがあったそうです。

そうすることで「お客様がその席にいる」という意識を持つためだったとか。

そのくらい「第三者の視点」というものを大事にしていたそうなのです。

この「第三者の視点を持つ」という方法は、私たちの仕事においても参考になります。

文章を書く、人に話す、何かをつくる……といったときに、第三者がいたらどう思うのか、お客様はどう感じるのか、を意識的にイメージするのです。

その視点で自分のアウトプットを見てみると、これまで気がつかなかった問題や違和感に気づくことができます。それによって、修正する機会が生まれ、アウトプットの質が上がっていきます。

第1章でも述べた通り、言葉にして何かを伝えるということは、相手がいて、目的があるのです。だからこの第三者視点というのはとても大切です。

私の場合、取材時には、自分とインタビュイー(インタビュー対象者)の席に加え、観客(第三者)がイスに座っているとイメージしています。

この観客は、自分の取材した内容を一番伝えたい人です。

「こんな関心があって、こんな価値観を大事にしていて、こんな服装をしている」などと、できるだけ具体的にその人の姿を思い浮かべます。

その観客は、取材を聞いていていて興味を持つだろうか、と考えるのです。

文章を書いたり、動画で情報を発信したりするとき、この「第三者が見ている」という発想を取り入れましょう。

ブログを書くなら、読者の代表がイスに座っている様子を思い描いて、ブログの原稿を音読してみます。相手は面白そうな表情をするのか、「なるほど」と納得感を持つのか、「え、どういうこと?」といった問い、「そうだよね」という共感が生まれているかを考えてみてください。

読者代表になりそうな人の協力を得られる場合は、実際にその人にアウトプットを読んでもらい、フィードバックをお願いできるといいですね。

第5章

言語化する習慣

まとめて言葉にするスキル

「まとめて言葉にする」とは？

これまで、「まとめる、言葉にする」というアウトプットに向けて、人の話や本、メディアなどから情報をインプットして、メモを蓄積してきました。

次に、伝わる順序を考え、「伝えたいこと100個のうち、1個に絞り込む」という気持ちで本質を絞り込み、その周辺部分を削ぎ落としてきました。

そのうえで、企画書やSNS投稿、会話でのメッセージといったアウトプットに変換していくプロセス全体を通じて、言葉を「伝わる言葉」に洗練させていくことを目指してきました。その工程こそが、アウトプットとして目に見える（または発話される）言葉だけでなく、思考も研ぎ澄ましてくれます。

アウトプット段階で「力を入れて調べた内容を一度も盛り込まなかった」ということも生じます。ですが、それが時間の無駄だったかというと、そうではありません。調べたことは、インプットメモやアウトプットメモの形で、また何かの素材に活かせるようストックされていくからです。

同時に、「調べたことをどう言語化すると伝わるだろうか?」「どんな構成にすると受け手が興味を持つだろうか?」と考えるなかで、受け手への理解が深まることもあります。

さらには、探求したいテーマが増えたり、自分自身の伝えたいことの背景にある願いや志に気づけたりするなど、色々なプラスの副産物があるでしょう。

私は、それは人生の味わいを深くすることにつながると捉えています。

この「読む・聞く、まとめる、言葉にする」のプロセスは、アウトプットの質を上げるだけでなく、自分自身の思考や生き方をより豊かにする効果もある。そんなメッセージを伝えたいと思います。

言語化力を高める3つのメリット

これからは、言語化力を高めるトレーニングについて紹介していきます。

ここでの言語化力とは、「相手に伝えたいことを考え抜き、的確に相手に伝わるような言葉を生み出す力」と定義します。

ではトレーニングを紹介する前に、言語化力が高まると、どんな効果が得られるのかを考えてみましょう。私は、大きく分けて3つのメリットがあると考えています。

メリット①人からの信頼・応援を得やすくなる

メリット②自分の本心に気づけるようになる

メリット③組織やチームが目標に向かう力が高まる

メリット①
人からの信頼・応援を得やすくなる

伝えたいことが的確に言語化でき、相手に伝わると、相手から納得や共感を得やすくなります。たとえ相手と違う意見でも、「そうか、この人はこんなふうに考えているのか」と、双方の間に橋を架けることができるのです。

たとえば、チームのメンバーと1on1をする場面を想像してみてください。メンバーがこの1カ月で頑張ったことや成長したと思う点を言語化し、メンバーに伝えます。メンバーが力を注いだタスクについて、「その定量的な成果だけでなく、メンバーの工夫する姿勢」について、言葉にしてみるとどうでしょうか。

フィードバックを聞いたメンバーは、「こういう工夫が評価されるのか」「こんなところまで見てくれているのか」と気づき、それが信頼につながっていきます。

ほかの場面でも、企画書が通りやすくなる、SNSやブログで自分の活動に興味を持ってもらいやすくなる、などと、他者からの信頼や応援を得やすくなります。これが、言語化力のもたらす1つ目の効果です。

メリット②
自分の本心に気づけるようになる

1つ目の効果が自分から他者（自分の外側）に影響していく効果だとすれば、2つ目の効果は、内面（自分の内側）にもたらす効果といえます。

自分の抱いている不安やモヤモヤ、違和感、焦り、切なさといった感情や、何となく抱いている課題意識。こうしたものは言葉で輪郭を与えることで、明確に認識できるものです。

たとえば、ある知人が「社内の調整に明け暮れていて、私の仕事はブルシット・ジョブ（どうでもいい仕事）なんだよね」と言ったとします。

もちろん、知人の胸の内にはもっと深い悩みがありそうなので、じっくり聞いてみたいと思いました。ただ、「社内の調整＝ブルシット・ジョブと一括りにしていいのだろうか」となんだかモヤモヤが残ります。

この感情を紙に書き出して、よりしっくりくる言葉にしていく。

すると、「社内の調整もみんなの仕事を円滑にするために必要」「自分の仕事の意義を自分で見出すことが大事」などと、モヤモヤの裏にある自分の価値観や信念に気づけるかもしれません。言語化は、自分の感情を客観視すること。そのなかで、マイナスの感情が和らぎ、より本心に近づけるようになります。

メリット③
組織やチームが目標に向かう力が高まる

3つ目は、1つ目の効果と2つ目の効果が合わさったものと言えるかもしれません。伝えたいこと・やりたいことを的確に言語化できるようになると、話を聞いた人は話し手を応援しようと思ったり、聞き手自身もインスパイアされて、何かに挑戦したりすることも増えていきます。

すると、今度はその人がやりたいことを周囲に向けて言語化・発信していく、といった形で、周囲にポジティブな影響が波及していきます。

また、自分の内面と向き合い、感情や考えを言語化する人が増えて、自分の中のモヤモヤが言語化できると、真に向き合うべき課題が明らかになる。

さらには、自分のコントロールできるものとコントロールできないものを区別しやすくなります。すると、コントロールできるものに対処するようになり、心の平静さを取り戻しやすくなるでしょう。

組織やチームでそうした人が増えていくと、感情の軋轢による争いも減り、より建設的な対話による解決が増えていきます。

それは組織やプロジェクトのメンバーが、より自分たちにとって本質的なビジョンや目標に向けて合意形成し、一緒に向かっていきやすい下地になるのではないでしょうか。

こんなふうに、言語化の力や習慣は、個々人のキャリアや仕事、人間関係の円滑化に役立つだけでなく、組織やプロジェクト、コミュニティなどをより良くする土台になる。そんな状況を思い描いて、本書を書いています。

言語化がうまい人は、「書く習慣」を持っている

では実際に、どのようにすると言語化力は高まるのか。

本章のテーマは、言語化力の身につけ方なので、大前提となる考え方をお伝えします。

それは「書く習慣」を持つこと。

自分の言葉をアウトプットする習慣こそが、言語化力を高める近道になります。

私がこの仕事をしていて気づいたのは、「言語化がうまい人」の多くが文章を書いているということです。

これまでインタビューを数多く重ねるなかで、言語化があまり得意ではない方もい

ました。その一方で、言語化するスキルが高いと感じる人の共通点は「書く」という習慣を持っていることでした。ブログやSNS、noteで発信した経験、もしくは本を書いた経験がある人は言語化が本当に上手。

なぜなら、「言語化する」ことは、体験や経験を頭の中で整理し、まとめて言葉にするという作業そのものだからです。そして、人に伝えるためにはどうすればいいか、という試行錯誤を経験することになります。

「言葉」は人目にさらすと磨かれる

もちろん、インプットも大事です。たくさんの本を読むことは語彙力を増やすことにもつながり、さまざまな人の考え方や知識を吸収できます。

しかし、やはり、アウトプットの習慣が言語化の力をつくり上げます。私自身の言葉にする力も、取材で学んだことを言葉として書く習慣があったからこそ。

あなたも、言語化力を高めたいと思ったら、書くという習慣を手に入れてください。

1日1文から始めましょう。

その際、大事なのは、それが他者から見られるようにすること。

言葉のアウトプットには、目的があります。言語化の訓練だと考えれば誰にも見せなくてもいいかもしれませんが、言葉にする力をより向上させたいなら、noteやX（旧Twitter）を活用するのもおすすめです。

仮に投稿して誰も見ていなくてもＯＫ。

誰かが見てくれるという前提で書くことが大事なのです。誰かに見られているという前提があると、どのように書けば伝わりやすくなるか、考えるようになります。

それが大事なのです。


自分のインプット（読んだこと、聞いたこと、体験したこと）をまとめて言葉にしてみる。

これを毎日の習慣にしてみてください。続かなくても大丈夫。何か心を動かされる経験があったとき、またこの習慣を思い出して、書いてみてください。

#「一言で言うと？」トレーニング

短くまとめて伝える方法

さて、ここからは言語化力を高めるトレーニングを紹介していきます。

まずは「一言で言うと？」トレーニングです。一定量の文章や情報を短くまとめて言葉にする練習になるもの。

言ってしまえば「要約」を行います。

短くまとめて言語化する、というのは単に短くするのではありません。文意ができるだけ変わらないように、より伝えたいことだけをシンプルかつ伝わるようにまとめていくことです。次の練習問題を参考にしてみてください。

▼練習問題

このトレーニングは、ポイントを端的にまとめたいときに、「一言で言うと？」をくり返していき、「なんとしても伝えたいこと」を絞り込み、磨きをかける訓練になります。

過去に私が書いた記事をもとに、実際の練習問題を紹介します。

2019年にフライヤーの編集部のイチオシという記事で、『「アンコンシャス・バイアス」マネジメント』（かんき出版）のおすすめ文を書きました。

一般社団法人アンコンシャスバイアス研究所の代表理事、守屋智敬さんが「無意識の偏見」にどう対処していけばいいかを解説した本です。

お題：本の紹介文（約1000字）から、そのポイントと魅力をX（旧Twitter）に投稿するために140字以内にまとめるとしたら、どうでしょうか。

もとの文章はこちらです。

=============================

▼第1段落

「無意識の偏見、根拠のない思い込み」という意味を持つ「アンコンシャス・バイアス」。経営者・リーダー育成に20年以上携わってきた著者が、アンコンシャス・バイアスに気づき、対処する方法を解説してくれている。

▼第2段落

「若い人はこう」「女性はこう」といった画一的ステレオタイプに陥ることはないから、私は大丈夫――そう思うかもしれない。けれども、よかれと思っての判断や言動の裏に、無意識の「思い込み」が潜んでいることもある。

「Aさんはお子さんが小さいから、出張が少ない部署に異動したほうがいいだろう」

「Bさんは数年前の面談で現場の仕事が好きだと言っていたから、管理職への昇進意欲は低いはずだ」。だが実際はいかに?

▼第3段落

著者はフライヤーでのインタビューでこう語っておられた。「一人ひとり、その時々により、メンバーの考えも事情も違う」。私たちは、脳の特性も手伝って、「あの人はこう」と一括りに捉えたくなってしまう。

だが、見えているのは、その人の、現段階での一面にすぎない。「自分には見えていない面があるのではないか」。そう自問する内省タイムを、1日数分でいいから設けてみるだけで、バイアスに気づきやすくなるはずだ。

▼第4段落

私自身、インタビューの仕事をするなかで、どうすれば自分の思い込みを認識できるか試行錯誤している。インタビュー対象者の言葉がどのような経験に根差したものか、仮説づくりの材料をできるだけ多く事前に集める必要がある。

そのうえで、相手と向き合うときには、それらをいったん脇に置いておく。そうすれば、相手のことを、そのまま受け止めやすくなるのではないか。本書に書かれていた「アンコンシャス・バイアスへの対処法」は、まさにそんな理想に近づくための指針となってくれる。

▼第5段落

読み進めながら思い出したのは、ナショナルジオグラフィック日本版の編集長、大塚茂夫さんの言葉だ。「地球への飽くなき探求心の対象には、人間自身の内側も含まれる」。

現にナショナルジオグラフィックは、宇宙や自然環境といったテーマだけでなく、ジェンダー、依存症、天才、善と悪といったテーマにも迫っている。アンコンシャス・バイアスのように、人間の「内面」に目を向けようとする試みは、さまざまな領域で起きているのだと感じた。

▼第6段落

また、「ティール組織」「心理的安全性」など、一人ひとりの可能性を最大限引き出す組織やチームづくりに関するキーワードが、この数年で一気に広がりつつある。

一人ひとりの「内面」を理解しようとする探求心こそが、変化の起点になる。さらには人間の悩みの根源を知る糸口になるのではないか。そんな一筋の光を与えてくれる本書を、ぜひおすすめしたい。

この例文から、本書のおすすめしたい点のポイントを絞り込んでいきます。

あくまで一例ですが、絞り込むときのプロセスを参考にしてみてください。

抽出

まずは分量を把握し、**「どれくらい絞り込む必要があるか」**を確認します。

この例文は、約1000字の文章。ここから140字以内に絞り込むので、7分の1から8分の1程度にまとめることになります。


次に、Xの投稿で「届けたい人」を考えましょう。

「日々のコミュニケーションをもっと円滑にしたい人」だとすると、「アンコンシャス・バイアス（無意識の偏見・無根拠の思い込み）に気づき、対処することの効用・重要性を優先的に伝えると、このテーマに興味を持ってくれそう」と仮説を立てます。

では、この仮説に立って、各段落からポイントを抽出していきます。「これだけは伝えたいという本質は？」「それを一言で言うと？」。こうした問いを何度も投げかけていきます。

以下、「↓」のあとが付け加える文章です。

▼第1段落から

「アンコンシャス・バイアス」の定義と本の概要についてふれる

Q 一言で言うと？

↓本書は、この「アンコンシャス・バイアス」に気づき、対処する方法の解説書

▼第4段落から

「アンコンシャス・バイアス」に気づくことの効用についてふれる

Q 一言で言うと？

↓相手のことを、そのまま受け止めやすくなる

▼第6段落から

一人ひとりの「内面」を理解しようとする探求心が重要という考えを添える

Q 伝えたい本質は？

↓一人ひとりの「内面」を理解しようとする探求心が重要であり、人間の悩みの根源を知る糸口になる

構成（「つかみ」の追加）

アウトプット形式はSNS投稿なので、「つかみ」で興味を引きたいですね。そこで、第2段落の「けれども、よかれと思っての判断や言動の裏に、無意識の『思い込み』が潜んでいることもある。」の文をもとに、読み手に自分ごとと思ってもらうために、「問い」形式の「つかみ」を入れてみましょう。

よかれと思った判断に、無意識の「思い込み」が潜んでいないだろうか？

絞り込み・整理

先ほど「抽出」してきた文に「つかみ」を追加します。そのうえで、言いたいことを絞り込み、文章を「本のおすすめ」になるよう整えていきます。

完成形

よかれと思った判断に、「無意識の偏見や思い込み」が潜んでいないだろうか？本書は、この「アンコンシャス・バイアス」に気づき、対処する方法の解説書。読めば、個々の「内面」を理解しようとする気持ちが湧き、相手を受け入れやすくなる。人間の悩みの根源を知りたい方におすすめしたい。（135文字）

この完成形はあくまで答えの一例にすぎません。

「一言で言うと？」「伝えたい本質は何？」という問いの答えは人によって異なるはずです。自分が伝えたくて、相手が興味を持てるポイントは何かと考えながら、絞り込んでみてください。

文体を徹底的に真似る「完コピトレーニング」

好きな文章から、リズムや流れを真似る

伝わる文章をアウトプットできるようになるためには、名文にたくさんふれてストックしていくことが大切になります。そこで紹介する2つ目の言語化トレーニングは、文体を徹底的に真似る「完コピトレーニング」です。

この文章は素晴らしい、惹かれる、発見がたくさんある！　そんな文章に出合ったら、文体、リズム、流れを学びとる気持ちで完コピしましょう。

リクルートでは、「TTP＝徹底的にパクる」、「TTPS＝徹底的にパクって進化

させる」いう言葉も使われていると聞きます。

ハイパフォーマーの仕事を学ぶうえで、その方法を徹底的に模倣するのが効果的なのと同様に、文体を学ぶときも、そのまま模倣するのが近道です。

トレーニングで用いる名文は、世の中で素晴らしいといわれている文章に限る必要はありません。もちろん、世の中で名文といわれる文章にふれる機会は、自分の目と思考を鍛えてくれます。

ただ、「完コピトレーニング」で重視するのは、「自分が良いと思うかどうか」。

小説、随筆、書評、連句などで幅広く活躍し、文学における「達人」といわれた丸谷才一さんは、著書『文章読本』で文章上達のために名文に親しむことの重要性を次のように説きました。

「君が読んで感心すればそれが名文である」

(『文章読本』(丸谷才一・中央公論新社・P31)

心の琴線にふれる文章だからこそ、その流れやリズムを学ぶ意欲が湧くものです。
自分にとっての名文を見つけていきましょう。

「完コピトレーニング」の7ステップ

トレーニングの具体的な流れは次の通りです。

①良いなと思う文章を見つける
②その文章を書き写す
③音読する
④「なぜその文章が良いと思ったのか?」を一言でメモる
⑤書誌情報とともに「④」の内容を「インプットメモ」に書き留める
⑥「⑤」を折にふれて読み返す
⑦完コピした文章の書き手になりきって実際に文章を書いてみる

▼①良いなと思う文章を見つける

本や記事を読むなかで、良いなと思った文章を探します。普段から「良い文章ないかな？」と自問すると、センサーが立ちやすくなるでしょう。

▼②その文章を書き写す

このときは、その文章を一字一句、そのまま書き写します。途中で取捨選択せず書き写すことがポイントです。表現、リズム、句読点の打ち方、改行などにも意識を向けていきます。字数の目安は少なくとも200字以上です。長いと大変なので200〜600字くらいを目安にするとよいでしょう。

書き写す方法は、デジタル、アナログいずれでも、実践しやすい形でかまいません。アナログの場合は、お気に入りのノートに手書きするとテンションが上がりますし、記憶にも残りやすいといわれています。また、大きな白い紙に書けば、目につきやすい場所に貼ることもできますよね。

デジタルの場合、スマホなどのメモに残すことで、後日検索したくなったときに、すぐに探せるなどのメリットがあります。

どちらも一長一短がありますが、個人的には、その文章のリズムや表現を自分のなかに浸透させるという意味では、紙にペンで書く方が残りやすい実感がありました。

自分に合ったツールを選んでみてくださいね。

▼③音読する

書き写した文章を音読することで、耳と口を通じて、その流れや表現が記憶に残りやすくなります。また黙読するときとは違った新たな刺激が得られます。著者や登場人物になりきったつもりで声に出すと、リズムを味わいやすくなるはずです。

▼④「なぜその文章が良いと思ったのか？」を一言でメモる

この文章が良いなと思った理由を探ってみましょう。「〇〇の表現が、情景が浮かぶほど印象的だから」「リズムが流れるようで心地よいから」「このたとえが斬新だから」などと言語化してみます。すると、どんな文章が好きなのか、自己理解が深まります。

▼⑤書誌情報とともに「④」の内容を「インプットメモ」に書き留める

書き写した文章の「心に残ったポイント」とそのソースをたどれるように、「インプットメモ」に書き留めていきましょう。実際に該当の文章を自分のアウトプットで引用する際には、引用文と出典（引用した本や論文など）の両方を明記する必要があるので、書誌情報（書籍名、著者名、ページ数など）も記載しておきましょう。

▼⑥「⑤」を折にふれて読み返す

書き写した文章は折にふれて読み返します。黙読と音読両方できると、その表現やリズムが頭に残りやすく理想的です。

▼⑦完コピした文章の書き手になりきって実際に文章を書いてみる

完コピ（模写）をすると、「この人の文章をもっとものにしたい」という気持ちが湧いてくることが多々あるはずです。①〜⑥の完コピトレーニングをくり返したあと、noteやブログなどで、実際に書き手になりきって文章を書いてみましょう。

もちろん文章をそのまま書き写すのではなく、文の長さやリズム、文体を再現していくイメージです。この「なりきりアウトプット」によって、「良い文体」をますます自分のものにしやすくなりますよ。

これまで文体やリズムを学ぶ際には、そのまま書き写して、完コピしましょうと書いてきました。

ただし、これはあくまで自分自身のトレーニングのためです。

本や新聞、WEBメディアの記事などはいずれも著作物。そういったものをコピーして公開すると問題になる可能性があります。

取り扱いには気をつけてください。

自分のインプットメモとして刺さった文章をメモするにとどめて、実際に記事などのアウトプットをする際には、引用ルールを守りましょう。

引用で大事なのは、本文中の引用記述と、出典（引用した本や論文など）の両方を明記することです。

自分の主張や論が「主」であり、引用箇所は「従」であるという関係を明確にすること、引用部分とそうでない部分を区別することを心がけましょう。

まとめの質を上げる「語彙力アップトレーニング」

次に「語彙力」を高めるためのトレーニングを紹介していきます。要約や記事を書くときはもちろん、雑談で旅行の感想を話すといった際でも、「もっと相手に的確に伝わる言葉や表現があるのでは」と、語彙力がほしいと思うシーンが多々あります。

語彙力を高めるメリットは、私は次の3つだと捉えています。

①思考が深まりやすくなる
②他者への理解の助けになる
③内容を端的に伝えられ、「まとめの質」が上がる

1つ目のメリットは「思考が深まりやすくなる」ことです。

まずはどのレベルであっても、色々な語彙や表現に好奇心を持ってそれらを吸収していくと、より的確な、しっくりくる語彙を使えるようになります。また、「言いたいことはこういうことだったのか」と自ら本質に迫りやすく、思考が深まっていきます。

2つ目のメリットは、「他者への理解の助けになる」という点です。

人は言葉を使って考えます。心のなかの声（インナースピーチ）が豊かであれば、感じている感情の微細な動きを掴むときも、より的確に表せるようになります。

3つ目のメリットは、「内容を端的に伝えられ、『まとめの質』が上がる」ことです。

語彙が豊富だと、意味を凝縮して、本質を伝えやすくなります。アウトプットでは、第4章でも書いたように、伝える内容の絞り込みや伝わる順序を考えることが大事になってきます。そのうえで、「使える語彙」の引き出しが多くあればあるほど、相手に伝わる言語化がしやすくなり、その質も上がっていくはずです。

語彙力をアップさせる3つの方法&トレーニング

語彙はインプットしたものをアウトプットする「橋渡し役」になってくれます。あくまでより伝わりやすいアウトプットを生むという目的を意識して、語彙力を高める方法を紹介していきますね。

語彙力を高める方法は次の3つです。

①単語の意味を文脈から「類推」して、「検索」する
②多様なバックグラウンドの人と話し、多様な作品にふれる
③新たに学んだ語彙をアウトプットで使う

語彙力を高める1つ目の方法は、「単語の意味を文脈から『類推』して、『検索』する」という方法です。

知らない単語や意味に確証が持てない単語に出くわしたら、すぐに意味を調べずに、文脈から大まかな意味を類推します。時間に余裕があるときは、できるだけ数秒間でも類推する習慣をつけておきましょう。

すると、その語彙単体で覚えるときよりも、実際の使用例とともに、その意味が記憶に残りやすくなります。あたりをつけたあとは、検索して、正しい意味を確認します。

具体例を2つ紹介していきます。

〈例1〉

彼は気の置けない友人なので、家庭や仕事のことを何でも話せる。

この文章から「気の置けない」の意味を類推してみましょう。「何でも話せる」という点から、「親しい」「一緒にいて気がラク」といった意味ではないかと類推できます。その後、実際に意味を検索したり辞書をひいたりしてみます。

たとえば、Weblio辞書では、「気の置けない＝他人行儀でなく気兼ねや気遣いが必要ないほど親密な間柄」とあり、類推がほぼ当たっていたことがわかります。

「気の置けない」のよくある誤った使い方として「気を許せない間柄」が挙げられますが、今回のように文脈から類推するステップを踏むことで、文脈とともに覚えられるため、本来の正しい意味が定着しやすくなります。

〈例2〉

彼女は「鶏口牛後（けいこうぎゅうご）」を望んでいて、就職先では大手企業ではなく中小企業を選んだ。

この例文にある四字熟語「鶏口牛後」とはどんな意味でしょうか。「大手企業ではなく中小企業を選んだ」という点から、「何かしら裁量の大きい環境やリーダーになりやすい組織を好む」という意味合いを類推することができます。

そのうえで、Weblio辞書で検索すると、「大きな集団の末端にいるよりも小さな集団の先頭に立つことを重んじるべきという意味のこと」と書かれています。

「鶏口牛後」は「鶏口となるも牛後となるなかれ」ということわざと同義です。由来は中国の歴史書『史記』の「蘇秦列伝（そしんれつでん）」です。戦国時代の策士が、6カ国の王に対して、圧倒的に強国の秦に従うのではなく、独立して同盟を組み対抗すべきだと、この教えを説いたといわれています。

このように、文脈から「類推」して「検索」するトレーニングを積むことで、使える語彙が増えていきます。

さらに語彙力を強化するなら、ある単語の意味を調べて終わりにしないことです。類義語、対義語、関連語なども調べて、芋づる式で覚えていくと、効果的に語彙力を高められます。英語なら類語辞典（シソーラス）や翻訳ツールDeepLなどを活用してみてはいかがでしょうか。

これまでの経験を振り返ると、語彙力アップのヒントは英語学習にありました。単語帳などで英単語だけを覚えようとすると、そのイメージがつきにくいように感じたのです。

例文や一定量の文章のなかで単語の意味を覚えると、どのようなケースで、どのような他の語彙とともに使うのかがわかるので、「活用できる語彙」が増えやすくなります。私はこの方法を、高校時代に読んだZ会の「速読英単語シリーズ」で学び、実践してきました。英文の中で単語を覚えるから「使える」単語力が身につくというコンセプトで、まさにその効果を実感したのです。

余談ですが、類推する習慣は、相手の発言の背景にある意図を想像する際や、小説家ブレイディみかこさんが「他者の靴を履く」と表現していたように、相手のコンテクストに自分の身を置く練習にもなると感じています。

語彙力を高める2つ目の方法は、「多様なバックグラウンドの人と話し、多様な作品にふれる」ことです。人種・年齢・性別・価値観などが多様な人と話す機会を増やしてみます。

その際、注目すべきは、「そんな切り口があったのか」と発見があったとき、それを相手がどんな言葉で表現しているかです。「驚き」「なるほど」といった感情は、そのとき得た学びを記憶にしっかりとどめる働きをしてくれます。

また「多様な作品」にふれることも語彙力アップに役立ちます。美術館や博物館などに友人・知人と出かけて、お互いの感想や気づきをシェアできるとよいでしょう。同じ作品を見ても、着眼点やその表し方の違いに気づくことができます。

特に小説や映画などで、人間の本性にふれる作品に接して、感想を言葉にしてみましょう。そうするなかで、人間の複雑性や多面性にふれ、世の中の矛盾や不条理、言語化しにくい感情などに出合えるはずです。

多様な背景を持つ人たちと交流したいけれど、なかなか機会がない方もいると思います。まず会社に勤めているなら同業他社の人と話すだけでも、新鮮な気づきがあると思います。

語彙力を高める3つ目の方法は、「新たに学んだ語彙をアウトプットで使う」ことです。新たに知った言葉や意味が明確になった言葉を、普段の会話やメール、SNS投稿などでできるだけ活用していきます。

ChatGPTのような生成AIのツールに「壁打ち相手」になってもらい、新たな語彙を使った問いを投げかけるのも1つの方法です。こうした工夫により、その語彙を見聞きする回数が増えて言葉が馴染んでいき、「知っている語彙」が「使える語彙」に変わっていきます。

改めて、「伝わる言葉」ってなんだろう？

これまで、アウトプットの目的や読み手の関心を意識することについて、「インプットする、メモする、まとめる」のいずれの工程でも大事だと伝えてきました。

では、読み手の関心があるもの、求めているものにできるだけ寄り添った内容だけを伝えればよいのでしょうか。私は、そうではないと思います。

なぜなら、それは予定調和であり、読み手のニーズをただただ言葉にしただけで、「自分自身が文字や発言で伝えること」による「差分」を生み出せていないからです。

もちろん読み手に自分ごとに思ってもらうために、読み手の関心や課題意識、旬なテーマに惹きつけることが重要です。そのうえで読み手のまだ気づいていなかったテーマにふれたり、新たな扉を開いたりすることこそ、アウトプットする側の大事な役割なのだと私は思います。

不器用でも「心がこもった言葉」が相手を動かす

今までの人生で「心を揺さぶられた言葉」はありますか。

今でも折にふれて思い出す言葉の共通項を、今一度考えてみてください。

色々な答えがあると思います。

私にとっての答えは、何を伝えたいかの「Ｗｈａｔ」が明確で、情熱が込められているかどうか。そして、私が言葉でアウトプットするとき、それを目指したいと考えています。

「Ｗｈａｔ」が明確で情熱が伴っていれば、それをどのように伝えるかの「Ｈｏｗ」が多少荒削りでも、受け手の心を揺さぶるのではないか、と考えているのです。

むしろ、時と場合によっては、淀みなくすらすらと言葉が出てくると、相手に「本当かな？」と思わせるときすらあるかもしれません。たとえば、一大決心を伝えるとき、たどたどしくても、少し声が震えていても、それで説得力が減ることはないでしょう。

不器用でもいい。「あぁ、これはこの人の心からの言葉なんだな」「伝えようと勇気を出しているんだな」というのが伝わることで、かえってその人の言葉が記憶にやきついたり、聞き手の心を動かしたりする場面があると思います。

最後は「あなたのあり方」が問われる

本章の最後に、私が大事だと感じている「視点」の話をさせてください。

これまで、インプットである「読む」「聞く」、インプットを蓄積して思考やアウトプットに活かすための「メモする」、アウトプットである「まとめる・言葉にする」という一連のサイクルを循環していくことが大事だとお話ししてきました。

では、「読む・聞く、まとめる、言葉にする」のサイクルを回すのは誰なのか。

それはほかでもない「自分自身」です。

「言葉にする」というのは、あなたの考え方、あり方、生き方が最終的に問われるこ

となります。

哲学者アリストテレスは『弁論術』（岩波書店）のなかで、相手を説得するために必要な要素として、次の3つが関わると説いています。

（1）話し手の人柄（エートス）
（2）聞き手の心理状態（パトス）
（3）話される内容の論理性（ロゴス）

言葉にするとき、大事なのは内容や論理性なのではと感じるかもしれません。ですが、アリストテレスは、3つのうち最も説得力を高めてくれるのは、「話し手の人柄」といいます。（参照：『弁論術』アリストテレス 岩波書店 P32、408より）

「今から人間性を磨けばいいの？　どうしたらいいかわからない」。そんなふうに思うかもしれません。

私なりの解釈では、単に人柄が良い・悪いといったことではなく、自分自身がどういうあり方、考え方を持っているかで言葉の信頼性、伝わり方が変わる、という意味だと捉えています。

つまり、「あなたは何者なのか？」という問いに向き合うことだと考えます。

自分とはどのような人間なのか。

何を成し遂げたいのか。

自分は何が好きで、何に情熱を感じるのか。

そうした「自分自身の源」を理解していくと、自分の言葉と行動が一致して一貫性が生まれていきます。そして「自分の大事にしている価値観や信念」が周囲にも伝わり、結果的に人柄への信頼を育むのではないでしょうか。

もっというと、「自分は何をしたいのか」以上に「自分は人生に何を求められているのか」に耳を傾けることが、自分の源を理解していくうえで大事なのかもしれません。

そう気づかせてくれたのは、『夜と霧』（みすず書房）と『あなたの人生の意味』（早川書房）でした。

精神分析学者のフランクルは、ナチスの収容所での経験を通じて「生きる意味」を学びとり、人間の心理について冷静な分析をしてきました。その結晶といえる著書『夜と霧』から得た示唆は、「人生に意味を問うのではなく、人生の意味に応えるような生き方をしなさい」というものでした。

『あなたの人生の意味』では、人生には2種類の美徳があると書かれています。履歴書向きの美徳と、追悼文向きの美徳。つまり、世俗的な成功や見栄えのする経歴と、葬儀で偲ばれるような人柄を指します。いずれも大事だけれど、後者を磨くことを忘れてはいけない、と本書は語りかけてきます。

人生が自分自身に求める「意味」に気づき、そこに向かって生きていく。

私自身は、「自分自身の源」を知るための道の途上です。「自分とは何者なのか」を探ることは人生をかけた旅です。その一歩になるように、周囲の大事な人たちから「あなたに頼みたい」と言われた役割を果たし、目の前の仕事1つひとつと向き合っていきたい、と思っています。そして、本書において「読む・聞く、まとめる、言葉にする」というサイクルを伝えていくことも、その役割の1つだと信じています。

●おわりに

「読む・聞く、まとめる、言葉にする」。

これらを一連のサイクルとして回していくことが、アウトプットの質を高めるという考え方は、私自身が常に試行錯誤し、先輩たちから学び続けているものでした。最初にこのテーマで本を書かないかと編集者の方に提案をいただいたときは驚きました。ですが、良質なアウトプットに向けたインプットのニーズは、ライターや編集者に限らず、色々な仕事や日常の発信のなかにあり、その一助になるのではないか。そんな思いに背中を押されて筆をとりました。

同時に、第3章の「メモする習慣」にもあるように、これまでインタビューや読書、1on1、講演などからの学びや感想をメモしてきたことが、本書の土台にもなっています。

最後に、インタビューへの想いとその可能性について少しお話しさせてください。第2章でも、一次情報の大切さにふれましたが、インタビューは「自分ならではのインプット」を生み出し、お相手を理解していくための大事な手法だと捉えています。

私がインタビューを始めたのは2013年3月にさかのぼります。趣味としてお聞きした内容をブログに書くという活動を始め、インタビューがライフワークとなりました。そこから色々なご縁があり今に至ります。根っこにあるのは、「人の生き方や挑戦について話を聞くのが好き」という純粋な好奇心です。

その好奇心が絶えることがないのは、約10年前の取材で、紛争解決のエキスパートを目指していた方との出会いがあるからです。

当時彼は紛争解決に向けた対話の技術を学ぶために、アゼルバイジャンに留学する直前でした。いつ頃から紛争解決に興味を持たれたのかをお聞きしたところ、彼は子供の頃から図書館で戦争について書かれた本をよく読んでいたそうです。その背景には、ご自身に家庭内暴力を受けた経験があったといいます。あるとき図書館で戦争の本を開いたら、彼が受けているものよりも凄まじい暴力が巻き起こっていた。そこで彼は、その被害に遭っている人たちを救う側になりたいと思うようになったそうです。

紛争解決のための対話というと、その深さ、緊迫感など、私の想像し尽くせるものではありません。ただ、育ってきた背景や価値観が違っても、「相手に興味を持って問いを投げかけ、相手の話に耳を傾ける」という習慣が世界にもっと広がっていくとどうでしょうか。

暴力や争いの前に、「まずは相手の話を聞こう」と冷静さを取り戻し、「相手はどう感じているのだろうか?」と、他者の靴を履こうとする人が増えるのではないか、と考えています。この取材のエピソードは、「微力ながらインタビューの可能性を届けていきたい」という私の願いの支えになっています。

私自身は、人間の才能が発掘され、解き放たれている瞬間に立ち会うと幸せな気持ちになります。だからこそ、「人の本性・本質とは何か?」「人の本性を活かす組織、社会とは何なのだろうか?」といった問いが常に頭の中にあります。

そこにつながる出会いや対話を今後も大事にしていきたいですし、インタビューがより身近なものになってほしい。こうした思いをもとにした活動が「人生が自分自身に求める意味」と近ければいいなと思います。

ここまでお読みいただきありがとうございました。「読む・聞く、まとめる、言葉にする」のプロセスが楽しいものであり、自分や周囲の人の人生をより豊かにするためのものであることが伝われば、このうえなく嬉しく思います。

最後になりますが、本を書く貴重な機会をくださり、伴走してくださった編集者の鹿野哲平さん、フォレスト出版のみなさまありがとうございます。要約やインタビューでお世話になった方々、多大な学びとインスピレーションをくれたflierのみなさんにも感謝の気持ちでいっぱいです。特に、私が心から共感するミッションを掲げるflierを率いる代表の大賀康史さん、flierの共同創業者で取締役であり、「要約を書いてみないか」と声をかけてくださった苅田明史さん、多彩な強みでコンテンツを支えてくれるflier編集部のみなさん、要約と取材の機会をつくってくれる頼れるプロモーションのみなさん、お一人おひとりに感謝状をお贈りしたい気持ちでいます。執筆の応援やアドバイス、フィードバックをくれた家族・友人・先輩方に心より感謝いたします。

松尾美里

▼参考文献・資料・flierの要約リスト

第2章

・『セルフ・アウェアネス（ハーバード・ビジネス・レビュー［EIシリーズ］）』ハーバード・ビジネス・レビュー編集部（ダイヤモンド社）

・高島宗一郎さんのインタビュー記事
https://www.flierinc.com/interview/interview181

・入山章栄さんのインタビュー記事
https://www.flierinc.com/interview/interview036

・『ネガティブ・ケイパビリティ』帚木蓬生（朝日新聞出版）
https://www.flierinc.com/summary/2288

・『10倍速く書ける 超スピード文章術』上阪徹（ダイヤモンド社）
https://www.flierinc.com/summary/1284

第3章

・『経営者の条件』P. F. ドラッカー（ダイヤモンド社）
・『不可能を可能にする 大谷翔平120の思考』大谷翔平（ぴあ）
https://www.flierinc.com/summary/3001
・『消齢化社会』博報堂生活総合研究所（集英社インターナショナル）
https://www.flierinc.com/summary/3544
・『知的生産の技術』梅棹忠夫（岩波書店）
https://www.flierinc.com/summary/2792
・田中美和さんのインタビュー記事
https://www.flierinc.com/interview/interview243

第４章
・高橋晋平さんのインタビュー記事
https://www.flierinc.com/interview/interview221
・『グラフィックファシリテーションの教科書』山田夏子（かんき出版）
https://www.flierinc.com/summary/2741

・『はじめてのグラフィックレコーディング　考えを図にする、会議を絵にする。』久保田麻美（翔泳社）

・『頭のいい人は「短く」伝える』樋口裕一（大和書房）
https://www.flierinc.com/summary/3537

・『「分かりやすい説明」の技術』藤沢晃治（講談社）
https://www.flierinc.com/summary/930

・『Amazon創業者ジェフ・ベゾス　お金を生み出す伝え方』カーマイン・ガロ、鈴木ファストアーベント理恵（訳）（文響社）
https://www.flierinc.com/summary/3675

第5章

・『「アンコンシャス・バイアス」マネジメント』守屋智敬（かんき出版）
https://www.flierinc.com/pickup/editorspicks201908
https://www.flierinc.com/summary/1931

・『文章読本』丸谷才一（中央公論新社）P31より

・『弁論術』アリストテレス、戸塚七郎（訳）（岩波書店）
https://www.flierinc.com/summary/1034
参照箇所『弁論術』アリストテレス（岩波書店）P32, 408より
・『夜と霧』ヴィクトール・E・フランクル、池田香代子（訳）（みすず書房）
https://www.flierinc.com/summary/856
・『あなたの人生の意味』デイヴィッド・ブルックス、夏目大（訳）（早川書房）
https://www.flierinc.com/summary/1667

【著者プロフィール】
松尾 美里（まつお・みさと）

編集者・ライター／株式会社フライヤー コンテンツ Div ゼネラルマネジャー
日本インタビュアー協会認定インタビュアー
京都大学文学部にて社会学を学び、インタビュー調査を通じて「聞く」ことの奥深さに気づく。株式会社Z会を経て、2015年株式会社フライヤーに参画。本の要約のライティング・編集を行い、要約制作は850冊に及ぶ。フライヤーや他のメディアにて、経営者・著者・各界のプロフェッショナル約570名にインタビューを行う。ライフワークは、新たな挑戦をしている方々の生き様や想いを聞き、伝えること。特に好きな本は経営ノンフィクションと人・組織に関わる本。本書が初の著書となる。

ブックデザイン：小口翔平＋嵩あかり＋青山風音（tobufune）
本文イラスト：大原沙弥香
DTP：野中賢／安田浩也（システムタンク）
編集協力：鹿野哲平

読む・聞く、まとめる、言葉にする

2024年7月3日　初版発行

著　者　松尾　美里
発行者　太田　宏
発行所　フォレスト出版株式会社
〒162-0824 東京都新宿区揚場町2-18　白宝ビル7F
電話　03-5229-5750（営業）
　　　03-5229-5757（編集）
URL　http://www.forestpub.co.jp

印刷・製本　日経印刷株式会社

ISBN978-4-86680-278-7　Printed in Japan

『読む・聞く、まとめる、言葉にする』

購入者への特別プレゼント

『読む・聞く、まとめる、言葉にする』を
読んでくださった皆様に特典をプレゼント！

書籍要約のプロ編集者が教える

話を引き出す質問のコツ

本書の著者・松尾美里による、相手の話を引き出す聞き方・質問のコツを解説した音声をプレゼント！本書の「想いを引き出す3つの問い」に関連する内容が学べます。ぜひダウンロードしてみてください。

※本ファイルはWeb上で公開するものであり、CD・DVDなどをお送りするものではありません。
※上記プレゼントのご提供は予告なく終了となる場合がございます。あらかじめご了承ください。

▽読者プレゼントを入手するにはこちらへアクセスしてください

https://frstp.jp/yomukiku